Susanna Tamaro

Per voce sola

tascabili Marsilio

«Tascabili Marsilio» periodico mensile n. 2/1994
Direttore responsabile: Cesare De Michelis
Registrazione n. 1138 del 29.03.1994
del Tribunale di Venezia

Finito di stampare nel mese di aprile 1994
per conto di Marsilio Editori® in Venezia
da Milanostampa - Farigliano (CN)

PER VOCE SOLA

Alla nonna Elsa

Per anni tutto è rimasto là, in una scatola di ferro, sepolta così profondamente in me stessa che non ho mai saputo esattamente cosa contenesse. Sapevo di trasportare cose instabili, infiammabili, più segrete di quelle del sesso e più pericolose degli spettri e dei fantasmi.

Helen Epstein

(*Children of the Holocaust*, 1979)

DI NUOVO LUNEDÌ

Caro diario, di nuovo lunedì. Oggi è la prima vera giornata d'autunno: c'è vento e le foglie, finalmente gialle, volteggiano in aria. Per il calendario sarebbe già dovuto iniziare da molto ma con questi buchi nell'atmosfera, ormai, non si può più essere certi di niente, neanche della regolarità delle stagioni. Chissà come sarà il futuro!? Ogni tanto me lo chiedo. Penso alla piccola Dorrie, naturalmente, non a me e a Jeff. A proposito, oggi sono sei anni esatti che sta assieme a noi. Non me ne sono ricordata io ma la mia assistente della casa editrice. Al bar ha voluto a tutti i costi farmi bere un calice di vino frizzante. Solo quando lo ha alzato dicendo: – Al vostro piccolo cucciolo! – ho capito. Già, l'anniversario! Una specie di secondo compleanno. Il giorno in cui è nata e il giorno in cui l'abbiamo adottata. Ricordo perfettamente l'emozione mia e di Jeff. Non si sapeva quand'era nata, né dove. Era stata una guardia notturna a trovarla in un bottino della spazzatura. Era bianca, forse di origine ispanica. Nera o gialla sarebbe andata comunque bene. Dal momento in cui la nostra impossibilità di avere figli era stata accertata non avevamo desiderato altro. Appena usciti dall'istituto, Jeff, stringendola tra le braccia ha esclamato: – Nella spazzatura! Sembra una favola di quelle che pubblichi tu!.

Una favola, già! Proprio di questo abbiamo parlato nella riunione redazionale di oggi. Dobbiamo aprire una nuova collana per i bambini tra i sei e i dieci anni. Laurie, la mia socia, sostiene che è il momento di tirare fuori storie terrificanti. È questo che vogliono i bambini, mostri, streghe, giganti con la bava, patrigni terribili e carnivori. Io naturalmente sono contraria. Penso che ai bambini bisogna offrire il meglio, farli sognare: sono così teneri, fragili, ricchi di fantasia.

La sera Jeff e io siamo usciti a cena. Mi ha portata in quel localino italiano dove andavamo appena sposati. Non ha accennato all'anniversario di Dorrie, ma sono quasi certa che mi ha portata fuori proprio per questo, per festeggiarlo. È così discreto, Jeff, così assolutamente ipersensibile. Tante volte, al momento di andare a dormire mi domando cosa sarebbe stata la mia vita senza di lui. Non so rispondere. Del resto sono felice così, cosa importa saperlo?

P.S. Tornando a casa, sono inciampata per le scale. Non so come sia successo, ma deve essere stato buffo vedermi ruzzolare giù come un sacco di patate. Jeff era un po' preoccupato, ma io rialzandomi gli ho detto «niente di grave». Allora ci siamo messi a ridere di cuore.

Caro diario, ieri con quella caduta sono stata troppo ottimista. Stamattina, infatti, nello svegliarmi mi sono resa conto di avere dei dolori in tutto il corpo. In bagno, poi, guardandomi nello specchio, la sorpresa. Un occhio nero e viola, come quello di un pugile.

Jeff non era accanto a me, era già uscito. Il suo lavoro lo assorbe talmente che alle volte non so dove trova le forze per andare avanti!

Comunque, per oggi, ho deciso di non andare alla casa editrice. Mi godrò una giornata a casa, con la piccola Dorrie. Piove intensamente e quando tornerà da scuola ci infileremo sotto le coperte e le racconterò fiabe fino all'ora di cena. Lei, come sempre, vorrà sentire Barbablù o Pollicino, e io, come sempre, cercherò di raccontarle Cenerentola. Nello sguardo della piccola ogni tanto c'è un'ombra che non mi piace. Riesco a vincerla e a farla sparire con le mie storie, con la dolcezza della persuasione.

Sono le dieci di sera adesso. Il pomeriggio è andato secondo il programma. A letto a guardare la pioggia cadere, a raccontare fiabe; ci siamo alzate appena verso le cinque. Dorrie doveva fare un compito scritto per domani. Tema «Il mio papà». Lei che ha tanta facilità a scrivere, questa volta mi guardava smarrita, con la penna sospesa in aria sopra il foglio bianco. Così l'ho aiutata. Capisco, ho detto, che non sai cosa scrivere; il papà è talmente meraviglioso che è difficile trovare un argomento da cui cominciare! Le ho suggerito poi di scrivere che faceva l'avvocato, che difendeva sempre i poveri, somigliava a

Robin Hood in qualche modo: alto, forte, così forte che avrebbe potuto soffocare un elefante con due dita sole o sollevarci entrambe sopra la balaustra del balcone senza nessuno sforzo, come se fossimo due fogli di carta. Allora, vinta la perplessità, ha iniziato a scrivere, ha scritto per un'ora intera, concentrata e attenta.

Jeff, questa sera, non è venuto a cena; il lavoro certe volte lo assorbe a tal punto che non ha neppure il tempo di telefonarmi. D'altra parte questa sera non c'era cena. Jeff ha voluto che iniziassimo una nuova dieta. Una sera sì e una sera no, acqua bollente. È di un medico californiano. Purifica, dice, rende i pensieri leggeri. È vero, dopo una settimana io mi sento già meglio. Con tutte quelle porcherie che ci sono nell'aria e che mangiamo è proprio necessario fare una pulizia interiore. Essere limpidi dentro, nell'anima e nel corpo. Questo è il suo programma. La piccola Dorrie ha fatto un po' di storie. Voleva i cornflakes con il latte, non l'acqua bollente. Con calma le ho spiegato che papà sa che ci fa bene. Si è convinta presto, ha bevuto l'acqua calda soffiandoci sopra come fosse brodo. Appena ha finito l'ho messa a letto. Tra le coperte, come ogni sera ha subito cercato l'orsacchiotto e se l'è stretto con forza al petto.

Mentre uscivo mi ha chiesto se potevo chiudere la porta a chiave. Sciocchina, le ho detto, l'unica porta che si chiude a chiave è quella di casa! Naturalmente ho lasciato la porta aperta, con la luce del corridoio che inondava il letto. Me l'aspettavo. A quest'età le paure notturne sono molto frequenti. Proprio per questo bisogna essere rassicuranti, offrire la luce dove si teme il buio. E infatti il piccolo stratagemma ha avuto effetto immediato. Dorrie si è addormentata quasi subito e senza fare altre domande.

In salotto ho lavorato ai ferri fin oltre mezzanotte. Le sto facendo un pullover aperto, con i bottoni davanti. Il colore è il suo preferito, verde bottiglia. Sul lato sinistro ricamerò delle casette sovrastate dal sole e dall'arcobaleno.

Caro diario, oggi sono tornata alla casa editrice. Alle nove abbiamo avuto una riunione per quella famosa collana. Laurie insiste con le sue idee e io non cedo con le mie. Ieri sera, prima di andare a dormire sono passata a controllare il sonno di Dorrie. Dormiva come un cucciolo stanco e felice aggrappata al suo orsacchiotto. Così, con quell'immagine in mente, ho spiegato a Laurie che lei, non avendo figli, certe cose non le può comprendere. Non si può turbare la loro serenità con assurde storie di mostri. Sul momento ha incassato con un sorriso neutro e non ha risposto niente; solo più tardi, alla fine della riunione, mi si è avvicinata e, con le labbra strette, mi ha chiesto cosa mi ero fatta sull'occhio.

Le ho risposto la verità, che ero caduta per le scale. Allora lei ha alzato le spalle e ha detto stupita: – Ti succede un po' spesso ultimamente, no? Non avrai mica qualche problema al labirinto?

Ha insistito a lungo poi per darmi l'indirizzo di

uno specialista dei centri dell'equilibrio che ha già curato una sua amica. Alla fine ho preso il bigliettino con il numero di telefono e senza guardare l'ho messo nella borsetta assieme a tutte le altre carte.

Dopo pranzo ho lasciato la casa editrice alle tre. La nuova maestra di Dorrie mi aveva chiamato per un colloquio. Non mi sono preoccupata troppo. Sapevo già quello che voleva dirmi. La bambina è magra, disattenta, sembra deperita. Non è la prima volta che succede. Ho ripetuto a questa maestra ciò che avevo già detto alle altre: non si sa da chi sia venuta al mondo, le prime ore le ha trascorse tra i detriti, nel disagio più totale. È abbastanza comprensibile che non sia proprio uguale agli altri bambini. Ci siamo lasciate da buone amiche. Congedandomi mi ha chiesto se per caso avessi subito un tamponamento con l'auto. Le ho risposto che per chi ha la pressione bassa è difficile la mattina vedere le mensole della cucina, anche se stanno lì da sempre. Abbiamo riso. Anche lei soffre di capogiri da pressione.

Nel tragitto da scuola a casa, Dorrie, la mano nella mia mano, ha sempre camminato con lo sguardo basso. – Hai ragione – le ho detto allora – anch'io alla tua età facevo così, non c'è niente di più bello che guardare le foglie gialle per terra.

Jeff era già rientrato. Stava disteso sul letto con ancora le scarpe ai piedi e la giacca addosso. Le serrande erano abbassate, le luci spente. Ho capito subito: uno dei suoi soliti mal di testa da superlavoro. Per non disturbarlo, senza accendere le luci, ho messo immediatamente Dorrie a letto e l'ho raggiunto in stanza. Fa bene ogni tanto andare a dormire al pomeriggio anziché alla sera.

A metà della notte un imprevisto, Dorrie, in pigiama e con l'orsacchiotto in mano, è comparsa sulla porta. Prima piano, con voce bassa, poi più forte ha detto di avere una terribile fame. Per un po' l'abbiamo ignorata: non bisogna impietosirsi per tutti i loro capricci! Poi, giacché insisteva, Jeff l'ha pregata di non fare storie e di tornarsene a letto: c'erano tanti bambini al mondo con più fame di lei! Dorrie però non si è mossa di un passo. Quando si mette in testa una cosa è più dura di una roccia. Allora Jeff con un gesto svelto ha allontanato da sé le coperte, si è alzato, l'ha raggiunta, l'ha presa per un braccio, l'ha portata in cucina e poi di nuovo nella sua stanza da letto. Jeff è un vero miracolo: anche quando è esausto trova sempre ancora un briciolo di forza per esaudire i desideri di chi ama. Deve essere stato via parecchio, perché quando è tornato, dormivo di nuovo. Mi sono girata, gli ho dato un bacio. Poi ho stentato ad addormentarmi. In fondo al cortile c'era un gatto che piangeva come un bambino.

Venerdì, caro diario! Un'altra settimana è passata! In pochi giorni l'autunno è diventato inverno. Ormai a uscire senza cappello e senza guanti si rischia una broncopolmonite. Questa mattina Dorrie si è svegliata dell'umore sbagliato. Non voleva alzarsi, non voleva far colazione, non voleva mettersi la sciarpa e i guanti. Una volta in strada non voleva camminare, diceva che le faceva male una gamba. Naturalmente si trattava di una scusa per non andare a scuola. Allora, con pazienza, le ho raccontato la storia di «al lupo al lupo». Non bisogna fingere mali che non si hanno altrimenti si rischia di ammalarsi davvero. Pensa a tutti i bambini che non hanno avuto la fortuna di nascere come te, con le braccia e le gambe!

Il mio discorso deve averla toccata nel profondo: si è avviata verso scuola camminando svelta davanti a me, con la testa bassa. Al momento di baciarla sull'ingresso della scuola dagli occhi lucidi mi sono accorta che aveva pianto. È una bambina così sensibile! Bastano due parole dette con il tono giusto e capisce tutto.

Alla casa editrice per tagliare la testa al toro ho fatto una mossa a sorpresa: ho detto che il primo libro della collana l'avrei scritto io. Laurie non ha opposto una particolare resistenza e neppure le altre del comitato di redazione. Naturalmente il risultato finale andrà sottoposto al loro giudizio. Questo week-end non avrò certo il tempo per oziare: oltre a pensare alla fiaba (voglio finire in tempi brevi) devo anche andare avanti con il pullover verde bottiglia di Dorrie.

Sabato e domenica sono trascorsi in un soffio, come sempre. Sabato c'era il sole e così, con Jeff, abbiamo deciso di fare una gita in campagna. L'aria era fredda, pungente. Dorrie non ama andare in macchina, non era d'accordo. Piagnucolava. Così, a metà del percorso, Jeff ha fermato la macchina, l'ha fatta scendere e le ha proposto, dato che le piacevano tanto i cani, di viaggiare nel bagagliaio. L'ha chiusa dentro e abbiamo proseguito tranquillamente il viaggio; ogni tanto, chiacchierando, sentivamo dal fondo dell'auto una specie di abbaiare sordo. Abbiamo riso. La piccola è così spiritosa. Faceva finta davvero di essere un cane.

Pranzo in una trattoria rustica. Ho detto a Jeff la mia idea di scrivere un libro per la collana. Si è entusiasmato. Ha detto che invece di arrancare nella fantasia avrei potuto scrivere la vera storia di Dorrie. È un'ottima idea: la sua è proprio una storia a lieto fine. Una vera fiaba.

Domenica il tempo si è guastato un'altra volta. Jeff è uscito la mattina presto. Non c'è nulla che lo fermi davanti al dovere. Dorrie si è svegliata quasi a ora di pranzo, così ho avuto tutta la mattina per lavorare alla scrivania. Il pomeriggio ho dato a Dorrie un quadernino bianco, le ho chiesto di aiutarmi a scrivere la fiaba. Lei non ha detto niente ma ha preso una penna e si è seduta in un angolo. Mentre lei scriveva come un cucciolo serio, io sono andata avanti con il lavoro a maglia. Entro una settimana il pullover sarà pronto. Appena prima di cena una piccola scaramuccia: volevo provarle il pullover per misurare la lunghezza delle maniche e lei si è opposta. Non in maniera vistosa, no. Solo quando l'ho chiamata per la prova, anziché le sue braccia mi ha offerto ripetutamente quelle che aveva staccato dalla bambola. Allora le ho detto che, se voleva, dopo aver finito il suo pullover ne avrei fatto uno uguale identico per la sua bambola. Mi ha teso le manine e se l'è fatto infilare.

Jeff non è venuto a cena. Questa sera c'era la cena non-cena. Acqua bollente. Dorrie l'ha bevuta dicendo che sapeva un po' di menta. Quand'era già sotto le coperte mi ha ricordato che dovevo firmarle il permesso per frequentare le lezioni di danza. Ho piegato il permesso e l'ho lasciato sul comodino. Domani mattina lo chiedi a papà, le ho detto, e come ogni sera l'ho baciata sulla fronte.

Jeff è rientrato che io ero già a letto. L'ho sentito avanzare cautamente nel buio per non svegliarmi. Senza aprire gli occhi ho bofonchiato che poteva accendere la luce perché ero sveglia. Lui l'ha accesa, si è spogliato e sdraiandomisi accanto, mi ha accarezzato il volto. Continuo a pensare alla mia storia. Ciò che mi manca è il giusto tono dell'inizio.

Caro diario, di nuovo lunedì! Gli psicologi dicono che esiste una sindrome specifica di tale giorno. Dopo il relax del week-end tutti i sensi soffrono di una specie di torpore, un rifiuto a iniziare la settimana di lavoro. Temo che abbiano ragione! Questa mattina, infatti, sono andata a sbattere dritta contro la mensola accanto al frigo, contro lo spigolo della mensola, naturalmente. Un taglio sulla tempia piuttosto cruento. Ho cercato di tamponarlo con del ghiaccio prima che si svegliasse Dorrie. Jeff si era già alzato ed era in bagno. Quando Dorrie è venuta in cucina le ho ricordato il permesso della scuola di danza. Ha detto: – Dopo colazione – ma anche dopo cola- zione non voleva andare dal padre. Ho dovuto accompagnarla io davanti alla porta del bagno, posare le sue piccole nocche contro il legno. Jeff non l'ha sentita subito: radendosi cantava a squarciagola.

Quando finalmente ha aperto la porta, l'ha fatto con un impeto tale che per poco Dorrie non è ruzzolata ai suoi piedi. Li ho lasciati soli e sono andata a vestirmi. Mentre chiudevo la cerniera della gonna ho sentito Jeff ripetere forte: – Ce l'hai o non ce l'hai la voce?!

Poi Dorrie deve aver trovato il coraggio di domandargli di firmare il permesso. Jeff, infatti, ha iniziato a modulare allegramente le note di un valzer. Passando davanti al bagno ho sbirciato dentro e ho visto che stavano ballando. Lui l'aveva sollevata con le sue braccia forti, la faceva piroettare in aria, quando cadeva la raccoglieva a terra e la lanciava in alto un'altra volta. Appena dopo dieci minuti di gioco si è accorto di essere in ritardo sul suo solito orario. Ha salutato me e la bambina ed è uscito di corsa. Sono entrata nella stanza da bagno. Dorrie stava ancora distesa nella vasca. Emozionata, sfinita. Dall'espressione dei suoi occhi ho capito che non aveva le forze per andare a scuola. Per una volta ho acconsentito. Non sarà la fine del mondo! Neanch'io, del resto, oggi andrò in ufficio. Non vorrei che Laurie, vedendo la ferita sulla tempia, mi consigliasse di nuovo quel dottore del labirinto.

Sarà un'ottima occasione per finire il pullover di Dorrie e iniziare quello della bambola. Ho cucito la prima manica e sto per finire la seconda. Dorrie non ce l'ha fatta ad alzarsi, ma ha voluto lo stesso che le mettessi il completo da ballo. Per infilarglielo ho dovuto deporre il lavoro a maglia. Era talmente stanca da non riuscire a muovere le braccia e le gambe. Devo dire a Jeff che non la ecciti più fino a questo punto. È una bambina troppo sensibile, basta un nonnulla per metterla in subbuglio. Appena le ho tirato su la calzamaglia, infatti, si è sporcata; si è fatta tutto addosso come quando era piccola. Poi ha vomitato la colazione sullo jabot di pizzo. Ho preso uno straccetto umido e ho pulito tutto, appena l'ho deposto nel lavandino dalla sua bocca ha cominciato a uscire un filo di sangue, ho pulito anche quello. È sempre troppo ingorda quando mangia e questo è il risultato. Volevo sgridarla ma quando mi sono chinata su di lei, mi sono accorta che dormiva. Pazienza, ogni tanto bisogna saper chiudere un occhio. Approfitterò di questa pausa per andare un po' avanti con la fiaba. L'inizio è certo: il ritrovamento nella spazzatura. Ma la fine? Forse c'è qualche buona idea nel quadernino di Dorrie. Devo cercarlo.

Dicono che gli orchi non esistono più invece gli orchi esistono ancora. Il mio papà di giorno è un avvocato e di notte un orco. Quando dormo e ho paura che la porta si apra, mi stringo a Teddy. Teddy è il mio orsacchiotto, siamo amici da sempre. Lui sembra di stoffa e invece se dico la parola giusta e lo bacio sul cuore lui diventa vivo e più forte di qualsiasi cosa. Ogni sera Teddy mi promette che se viene l'orco mi difenderà. Ogni mattina io gli prometto che quando saremo grandi scapperemo insieme. Andremo su e giù per i boschi a cercare le more più dolci e il miele dove intingere le zampe. Saremo felici, allora, come in tutte le storie che finiscono bene.

LOVE

Era avvenuto tutto mentre dormiva. Un sacco le era piombato sulla testa come ai gattini quando vanno al fiume. Poi il sacco con lei dentro era finito su un camion. Su quel camion c'erano tanti altri sacchi. Stavano viaggiando, ma verso dove?

Nessuno sapeva rispondere. I più piccoli piangevano, i più grandi s'azzuffavano con grande rumore. Dopo qualche ora il camion si era fermato. I grilli cantavano intorno, era ancora notte, era campagna. Un uomo dal volto coperto era salito dietro. Li aveva fatti distendere sul pavimento, li aveva coperti con un telo. Con tono minaccioso aveva detto: – Non muovetevi, non fate rumore, non tossite o ridete. Se qualcuno sale e fa domande trattenete il fiato.

Sopra il telo, poi, aveva distribuito delle balle di fieno. Di lì a poco il camion si era fermato un'altra volta. Altri rumori fuori. Motori che si accendevano e spegnevano. Stridii di ruote, clacson, voci che parlavano forte. Un uomo era salito davvero, in una lingua che nessuno sapeva aveva fatto tante domande, aveva ripetuto sempre le stesse, più volte. L'autista aveva risposto con calma, piano; alla fine aveva riso rumorosamente, aveva riso anche l'altro uomo scendendo dal camion, come se fossero amici da sempre.

La corsa era proseguita ancora per molte ore.

Quando erano scesi era di nuovo notte. Pigiati gli uni accanto agli altri si erano trovati tutti chiusi in un minuscolo appartamento. I più piccoli, di nuovo svegli, avevano ripreso a piangere.

In quel luogo erano rimasti circa un mese. Assieme a loro c'era un uomo alto e con i baffi che si faceva chiamare Dragomir. Qualche volta era gentile, qualche volta no. Allora gridava con le vene della gola gonfie e tirava pugni e calci. Succedeva soprattutto durante le ore di lezione. Imparavano ad aprire le borse, a staccare gli orologi dal polso. Lui aveva la borsa o l'orologio, tutti gli altri bambini gli stavano stretti intorno. Lo studente prescelto doveva passare piano in mezzo, sfilargli l'oggetto con tocco leggero, come se niente fosse. A sbagliare erano i più piccoli, i più paurosi. Se lui sentiva le dita prima che il portafoglio fosse scomparso, si girava urlando, afferrava lo studente per il collo e incitando gli altri bambini lo pestava a sangue. Dopo cinque borseggi perfetti si poteva lasciare l'appartamento. Non si andava via da soli sulle proprie gambe ma con un uomo elegante che guidava in silenzio una macchina grande, nera e lustra. I più bravi cominciarono a sparire già dopo una settimana. Gli altri se ne andarono un po' alla volta nelle tre settimane seguenti.

Anche lei era salita su quell'automobile. Con lei c'erano Alenka, Miranda e Bogoslav. Avevano fatto tanta strada, una strada lunga lunga dove la macchina correva velocissima. Si erano fermati in una specie di ristorante. L'aria era più calda che nella città dell'appartamento. L'uomo li aveva fatti scendere, aveva comprato caramelle, gelati, panini. Aveva comprato tutto quello che volevano come se fossero i suoi figli. Davanti al cameriere li aveva accarezzati sulla testa.

La nuova città era ancora più grande, con case di tutte le forme e pochi alberi. Avevano fatto il giro degli accampamenti. Lei era stata l'ultima a scendere.

Ormai da tre mesi lavorava su quel ponte abitato da giganti con le ali e i capelli lunghi tutti di pietra bianca. Andava avanti e indietro con un cartone in mano e tante volte da quando era lì aveva sentito dire le mamme ai bambini: – Hai visto? Sta attento che altrimenti ti portano via gli zingari.

Così non capiva niente: a lei che era già zingara chi l'aveva portata via, lontano da casa?

Vesna aveva dieci anni e il labbro leporino: era nata in una tribù nel sud della Jugoslavia. Sua madre e suo padre avevano altri dieci bambini. Con quella bocca non si sarebbe mai sposata. Prima dell'inverno l'avevano ceduta a un commerciante in cambio di due copertoni per la neve.

La nuova famiglia non era molto diversa da quella che aveva lasciata. C'era una madre, un padre e tanti fratellini e sorelline. Il padre, Mirko, lavorava con le macchine e la madre, che si chiamava Zveza, chiedeva l'elemosina in centro assieme ai bambini più piccoli. La sera, però, intorno al fuoco o alla televisione, lei non poteva sedersi vicino a nessuno. Così si capiva che non era la loro vera figlia, che non erano imparentati neanche per una via lontana di tribù. L'unica cosa che a loro importava di lei era che ogni sera tornasse con le tasche piene.

Era sempre Mirko ad accoglierla. L'accoglieva sulla porta della tenda con la mano tesa. Se i soldi erano abbastanza le dava una scodella di minestra, altrimenti la sbatteva di qua e di là e gridava: – Troia, credi che sia un hotel?! Che siamo in un hotel? In un Grand Hotel?

Qualche sera Mirko stava fuori con gli amici e rientrava ubriaco. Allora lei si stringeva la testa tra le mani e i denti le battevano così forte che non riusciva a fermarli. Anche il suo padre vero faceva la stessa cosa. Allora fuggiva svelta, sveltissima prima che la toccasse, scappava giù veloce verso il fiume con i salti di una lepre. Lì, sulle sponde, nascosta tra i cespugli, attendeva l'alba.

Il fiume! Quello le mancava più di ogni altra cosa. Era bello laggiù! D'inverno c'era una gran crosta di ghiaccio e l'acqua vi scorreva sotto. In primavera il ghiaccio si rompeva e sbatteva di qua e di là con gran rumore. C'erano le folaghe di cui si potevano bere le uova e le coppie litigiose dei germani. E poi c'erano le bacche succulente, in estate l'acqua fresca dove bagnarsi e le donne del paese che andavano a lavare i panni e chiacchieravano come una radio, senza mai fermarsi.

Anche sotto il ponte dove stava adesso c'era un fiume, un fiume grande, lento e un po' giallo ma a guardarlo non le diceva proprio niente. Quand'era triste però chiudeva gli occhi: e allora il suo rumore diventava il rumore di tutti i fiumi e come un sangue più caldo le passava intorno al cuore, lo avvolgeva, la riscaldava dentro. Quasi ogni giorno era triste e così quasi ogni giorno faceva quel gioco.

Lo stava facendo anche in quel mattino poco prima dell'estate. L'aria era già molto calda e per proteggersi si era messa dritta in piedi nell'ombra di un angelo. A quell'ora non passava nessuno. Allora, con la faccia coperta dalle mani, aveva potuto pensare tranquillamente al suo fiume, a tutti i fiori che c'erano vicino all'acqua e alle rane nascoste dentro.

Non aveva sentito i passi sul selciato. Solo, all'improvviso, quella voce che aveva detto: – Ti senti poco bene, piccola?

Non si era scoperta il viso. Lì vicino doveva esserci un padre con la sua bambina. Ma poi una mano le aveva sfiorato il capo e così Vesna aveva guardato. Di fronte a lei c'era un uomo con i capelli un po' grigi e un po' no, con una larga camicia bianca. L'uomo aveva ripetuto la domanda e lei non aveva risposto né sì, né no, neppure che pensava al fiume, ma con il braccio teso era saltata avanti cantilenando: – Tanto bene, tanta salute per lei e per tutta la famiglia, tanta fortuna signore...

L'uomo aveva sorriso, l'aveva guardata come si guardano gli uomini prima di sfidarsi al coltello, dritto dritto come per leggere dentro. Senza distogliere lo sguardo aveva infilato la mano in tasca, tirato fuori due o tre monete. Anziché farle cadere dall'alto le aveva deposte sul suo palmo, l'aveva toccata nel farlo. Il ponte era ancora deserto. L'uomo non aveva detto più niente e si era avviato verso il lato opposto, camminando con un passo un po' troppo lento.

L'asfalto sotto i piedi era caldo. Voleva forse essere chiamato? Avrebbe potuto inseguirlo, chiedere altre monete per la madre gravemente ammalata. Intanto il movimento del sole aveva spostato più in là l'ombra dell'angelo.

Quella sera aveva pochi soldi. Mirko l'aveva picchiata, era andata a letto senza mangiare niente. Raggomitolata sul pavimento aveva posato il palmo di una mano sulla guancia. No, non era un'impressione, dove l'uomo l'aveva toccata la mano era davvero più calda; anche dopo tante ore continuava a essere calda.

Nei giorni seguenti l'uomo non era più passato però lei lo aveva visto lo stesso. Stava dritto in piedi su un enorme cartellone nei pressi dell'accampamento e aveva tante scritte accanto. A differenza dalla realtà, aveva dei grandi baffi scuri e una pistola legata sopra la camicia bianca. Vicino non c'era una lavatrice o un frigorifero e non teneva neanche niente in mano. Più che qualcosa da vendere sembrava un film. Un attore, certo, lui era un attore: con quegli occhi non poteva essere altro.

Era la prima volta che passava sul ponte? Sì, quasi di sicuro perché di lui non si era mai accorta prima. Forse era come lei, straniero. Viveva in un grande albergo con le palme o stava su una spiaggia bianca bianca con delle ballerine quasi nude intorno.

Quando aveva visto il suo labbro, invece di ridere o allontanarsi l'aveva toccata.

Un pomeriggio Zveza l'aveva condotta con sé al centro. Erano passate davanti a due o tre grandi hotel e lei aveva guardato dentro. Aveva guardato anche dentro tutti i taxi, dentro tutte le macchine con i vetri scuri.

Dopo dieci giorni la pelle della mano era ancora calda come quando lui l'aveva sfiorata. Prima di addormentarsi se la posava sulla guancia, la lasciava lì facendo finta che fosse una cosa indifesa e piccola, un gattino, un orsetto di pezza.

Sul ponte non chiudeva più gli occhi, il fiume era ormai muto. Anche quand'era stanca li teneva spalancati come una civetta nel mezzo della notte.

Verso la fine di giugno la città fu colpita da una serie di nubifragi, i turisti correvano avvolti in plastiche colorate, con delle borse in testa.

Il cielo era lo stesso che aveva visto dipinto in una chiesa al suo paese, viola, grigio, con fulmini gialli da tutte le parti. In quella tempesta gli angeli grandi e forti non servivano proprio a niente.

Mentre l'acqua le colava nel collo dai capelli si era accorta che la mano sfiorata stava diventando umida e fredda, uguale all'altra. Mancavano tante ore al rientro al campo, aveva tempo per provare a farla tornare calda. Sulla strada del cinema la pioggia si trasformò in chicchi di ghiaccio, le si ruppe una scarpa e le infilò tutte e due in tasca. Il cinema era quello giusto, lui grande e di carta stava là davanti, con una pistola in mano. Alla cassa tirò fuori due pugni di spiccioli. La donna seduta contò le monete a una a una, poi fece un cenno con la testa e le diede un biglietto azzurro. Non c'era quasi nessuno dentro, si era seduta in prima fila, le gambe distese in avanti. Così gli attori parlavano a lei sola. Lui era un poliziotto, si chiamava «il giustiziere». Non era il suo vero nome ma un nome che gli avevano dato perché era bravo. Sparava, picchiava e correva come nessun altro. Quando le macchine andavano a tutto gas e sbattevano di qua e di là quasi quasi le veniva da vomitare. Sembrava che l'uomo dalla camicia bianca perdesse e invece, alla fine, lui vinceva tutti.

Il film tre volte era finito e tre volte era cominciato. Quando Vesna aveva raggiunto l'incrocio del ponte la macchina che riportava i bambini al campo era già andata via. Non pioveva più ma era venuto il vento. Cosa doveva fare? Non lo sapeva. Così, pensando, aveva cominciato a camminare avanti e indietro per le strade intorno.

Mentre guardava una vetrina di calze da donna sentì alle sue spalle quello stridio improvviso, il rumore di una macchina. La portiera si aprì che ancora non aveva capito niente e una mano la tirava dentro. Come poteva averla trovata? Era Mirko. Disse qualcosa con i denti stretti, la colpì sul volto, sulle sue labbra da coniglio. Allora si ricordò che aveva i denti, il naso, le gengive, erano tutti lì, duri come il legno. Gustò del caldo in bocca, poi non si ricordò più niente.

Si svegliò con il rumore di una catena, era la sua, le legava la caviglia a una sbarra di ferro.

Dalla tenda vicino giungevano le voci di Zveza, di Mirko, dei loro bambini. Stavano mangiando. Si distese in modo di aver poco male. Cosa importava? Niente. Ciò che voleva era successo, dopo il film una mano era di nuovo più calda dell'altra. Quei giorni dormì tanto, sognò anche. Per ordine del capo della polizia lui giungeva al campo con un mitra in una mano e un pugnale nell'altra. Nessuno riusciva a scappare. Persino Mirko piangeva, implorava. C'era un colpo e seguiva il silenzio. All'improvviso della luce la investiva in faccia: era lui e la prendeva in braccio.

La luce c'era davvero, ma era Zveza che le stava togliendo la catena.

Riprese a lavorare quel giorno stesso, sullo stesso ponte. L'estate ormai era arrivata, passavano molti turisti, stavano tutti vicini come le pecore nei prati oppure come i cervi andavano avanti solitari. Con i cartoni in mano si avvicinava a tutti. Se non le davano soldi cercava di prenderseli.

Una mattina di fronte a lei si era sistemato un negro, vendeva collanine, elefanti di plastica. Quando aveva clienti la teneva lontana con uno sguardo, quando erano soli si avvicinava a parlare. Parlava svelto svelto e lei non capiva niente. Una volta lui l'aveva abbracciata forte allora lei gli aveva dato un pugno sulla pancia. Un piccolo pugno. I pugni che aveva nella testa non erano mai quelli che aveva nelle mani. Il pugno aveva fatto «flop», il negro ridendo si era massaggiato la pancia. Lei avrebbe voluto che fosse stato un pugno molto più grande.

Chissà perché i turisti se ne andavano in giro anche di notte. Non si vedeva niente di notte, solo gli animali del bosco potevano farlo eppure loro andavano in giro lo stesso. Erano quasi sempre giovani. Stavano tutti insieme, tante volte abbracciati. Cantavano le canzoni male, con tutta la gola. Sembravano ubriachi, lo erano anche. Lasciavano lunghe strisce di odore di alcool sul ponte. Lei li inseguiva, chiedeva i soldi. Facevano finta di non sentirla oppure si giravano tutti dalla sua parte, le lanciavano le monete in aria come quando si cerca la sorte e ridevano appena svelta si chinava a raccoglierle. Fino quando c'era la luce la gente passava davanti come l'acqua di un fiume tutta insieme poi passavano pochi alla volta. Tra un gruppo e l'altro c'era sempre un po' di tempo. Proprio in una di quelle pause il negro si era avvicinato un'altra volta, le aveva dato un anellino e aveva detto: – Io e te fidanzati – e subito le aveva infilato la lingua nella bocca. Lei aveva stretto i denti e la lingua del negro era rimasta in mezzo. Le era arrivato uno schiaffo forte, la testa le si era girata dall'altra parte.

Un altro però non era riuscito a darglielo. In silenzio, come non toccasse il suolo, era arrivato qualcuno e aveva bloccato il negro stringendogli il braccio. La sua camicia era bianca, larga. Quando con una mano le aveva scostato i capelli dal viso il suo cuore si era mosso con un salto, aveva preso a battere velocissimo un po' nella gola, un po' più in giù, nelle ginocchia. Era lui, proprio lui in persona: il Giustiziere!

Appena il negro si era allontanato, lui aveva insistito perché non rimanesse sola sul ponte. Allora lei aveva guardato il cielo. Da come stava messa la luna mancava ancora un bel po' al passaggio della macchina. Docilmente e in silenzio l'aveva seguito fino a un bar lì vicino. C'erano tanti turisti seduti sui tavolini all'aperto. Si sedettero in mezzo a loro, l'uomo le chiese cosa volesse mangiare o bere. Lei voleva dirgli soltanto che anche se non aveva i baffi sapeva chi era, l'aveva visto in un film uccidere tutti, era il Giustiziere. Ordinò lui per lei un gelato grande con la panna e i biscotti, per sé un liquore giallo. Le fece tante domande. Aveva la mamma? Il papà? Dov'era nata, lontano? A scuola ci era mai andata? Sembrava una signorina, una bella signorina. Ma davvero quanti anni aveva? Capiva l'italiano o parlava soltanto la lingua degli zingari? Oppure non aveva proprio la lingua?

Nel dire quella frase l'uomo le aveva fatto solletico sul mento. Intanto era arrivato il gelato. Stava davanti a lei, si scioglieva come neve senza che avesse il coraggio di mangiarlo.

– Vediamo se proprio non ce l'hai – aveva detto allora l'uomo e con il cucchiaino colmo di panna aveva incominciato a stuzzicarle le labbra. Così, in quel modo, faceva solo la mamma merla con i suoi pulcini laggiù nei cespugli vicino al fiume. Era forse un pulcino? Aprì la bocca. Quella cosa era viscida e dolce, scivolò giù senza nessuno sforzo. Si alzarono quando la coppa fu vuota. Senza dire niente lei gli afferrò un polso, lo condusse di nuovo al ponte. Attesero un po'. La luna era di nuovo bassa sull'orizzonte. Non aveva il coraggio di dirgli che la macchina era già passata. Per fortuna fu lui a parlare, disse che era inutile star lì fino all'alba. Attraversarono il ponte ancora una volta.

Nella sua casa c'erano mobili pesanti e una televisione grande grande. Lui l'aveva messa seduta sul divano, gliel'aveva accesa, era scomparso in un'altra stanza. Mentre un gatto sullo schermo, per inseguire dei topi, cadeva senza farsi niente da un palazzo altissimo, lui era tornato. Indossava una specie di cappotto leggero e niente sotto. Aveva detto: – Prima di dormire facciamo un bel bagno – e l'aveva sollevata dal divano. Il suo odore era diverso da quello di Mirko. Invece di impaurirla le faceva voglia di leccare.

Mentre si spogliava aveva voluto stare a guardarla. Si era seduto sul gabinetto con le mani nelle tasche del cappotto.

Vesna non aveva mai fatto il bagno... se il tappo si apriva quando lei era dentro, dove sarebbe finita? Lui l'aveva aiutata. Con una spugna morbida le aveva sfregato la schiena, la pancia, gliel'aveva passata in mezzo alle gambe. Le aveva bagnato anche i capelli, glieli aveva sciolti nell'acqua come se fossero alghe. Poi, con tutte le gocce che correvano lungo il corpo era uscita fuori e lui l'aveva avvolta in un asciugamano. L'aveva asciugata piano piano, fermandosi ogni tanto con le mani.

Nella casa c'era una stanza che non aveva ancora visto. Era chiara con un piccolo letto in mezzo e tanti giochi intorno. Il Giustiziere la condusse lì, senza vestiti la fece sdraiare sotto le coperte. Poi prese un libro e cominciò a leggerle una storia. Parlava di un soldato finto con una gamba sola che si innamorava di una ballerina finta anche lei, di carta.

Quando le labbra dell'uomo si posarono sulle sue sussultò perché già quasi stava dormendo. Inarcò il corpo. Era così che finiva la storia?

Durante la notte un sogno comparve dietro gli occhi. Lei era un gattino. Con la lingua calda la mamma lo puliva avanti e indietro e lei tremava tutta. Tremava non come quando sul ponte aveva freddo ma come se il fiume, con il suo tepore, le passasse dentro.

Il mattino dopo il Giustiziere la lasciò poco distante dal ponte. Prima di andarsene le infilò due o tre biglietti da mille nelle tasche. Doveva essere in orario perché non c'erano ancora i turisti ma solo la gente che andava al lavoro svelta. La giornata passò uguale a tutte le altre. Uguale no. Quando tra le altre camicie spuntava una camicia bianca il cuore le andava in gola o giù tra le ginocchia.

Lei non gli aveva fatto domande. Neppure lui aveva detto tornerò o aspettami. Se era successo una volta poteva succedere anche un'altra. Il suo odore era un po' quello che si sentiva al mattino davanti alle pasticcerie.

La notte si recò puntuale al ritrovo con la macchina. Sui sedili dietro i bambini raccolti prima stavano già dormendo. L'autista nel vederla di nuovo lì non fece nessuna osservazione, guidò svelto per la città come ogni notte. Possibile che al campo nessuno si fosse accorto della sua assenza?

Doveva essere così. Appena entrata nella tenda

Mirko non la picchiò. I fratellini urlando le si attaccarono alle gambe.

Invece così non era. Quando tutti erano ormai distesi nei loro pagliericci, Mirko si avvicinò al suo. Parlava con voce bassa, non l'aveva mai fatto. Aveva i pantaloni aperti con una mano dentro. Le si sdraiò accanto, le morse un orecchio per farle male.

– Puttana – le disse – piccola puttana, se prendi quello degli altri, prendi anche il mio –. Salì sopra di lei, le sollevò la gonna. Non riuscì a entrare al primo tentativo, neanche al secondo. Allora usò la forza, le divaricò le gambe, entrò come si entra nelle porte quando non si ha la chiave e con un calcio si sfondano.

Entrò e qualcosa si era rotto, si stava rompendo, più andava avanti più c'era il fuoco, bruciava tanto, tantissimo, ogni volta sperava che uscisse e ogni volta si sbagliava, non usciva mai.

Poi, quando non sperava più, tutto era finito e lui come morto le era piombato addosso. Dopo un po' con i pantaloni ancora aperti era tornato nel letto della moglie.

La mattina dopo Vesna era di nuovo sul ponte. Quel male la faceva camminare con le gambe strette. Ogni volta che correva incontro a un cliente sentiva tutto un dolore dentro. Un po' per quello, un po' perché era distratta, quei giorni guadagnava meno del solito.

Mirko però adesso, invece di picchiarla, preferiva fare quell'altra cosa. Lei aveva imparato a immaginare che al suo posto ci fosse il Giustiziere: sentiva il suo profumo, vedeva la sua pancia pelosa e piatta. A volte era troppo stanca per immaginare; allora, con la testa di lato contava gli oggetti sparsi sul pavimento.

Di camicie bianche ne erano passate tante ma la sua mai. Chissà dov'era? Forse stava combattendo in una missione pericolosa.

Intanto lei gli aveva trovato un altro nome. Alcuni giorni prima nei pressi del ponte avevano issato un nuovo cartellone. Sopra c'era una signorina in mutande e reggiseno, in punta di piedi reggeva con la mano un palloncino a forma di cuore. Vicino, con lettere rosse come una bocca c'era scritto qualcosa. Aveva chiesto a un bambino che sapeva leggere che cosa. Love, le aveva detto. Love era il cuore, era quella cosa dentro che lei provava per lui. Love, love aveva ripetuto tra sé e sé per giorni come se fosse una canzone di una parola sola...

Una notte era successo questo: Mirko si era accorto che di lei c'era solo il suo corpo e si era infuriato. L'aveva sbattuta di qua e di là, contro lo spigolo del tavolo, contro la bombola del gas. Poi gliel'aveva messo in bocca, aveva fatto uscire quella schiuma schifosa. Aveva vomitato davanti a lui. Rimasta sola aveva vomitato un'altra volta. Voleva piangere, stringeva gli occhi, li stringeva ma non serviva a niente.

La mattina dopo, sul ponte, aveva deciso di fare una magia che conosceva da bambina: aveva detto Love, aveva sputato in circolo tante volte. Le magie funzionano quando si fanno poco e quando c'è il cuore a muoverle.

Funzionano, certo che funzionano. Poco prima dell'ora di pranzo ecco la sua camicia bianca, lui che camminava come se non dovesse andare da nessuna parte. L'aveva superata così, senza guardare. Nella magia aveva forse scordato qualcosa? Allora gridò Love. Quella parola era una parola freccia, coltello: lo colpì in mezzo alla schiena, e lui si voltò, tornò indietro con le mani in tasca.

Nella cucina della sua casa aveva preparato un piccolo pasto per loro due soli. Lei la bocca non l'aveva neanche aperta, era stato lui a parlarle. Le aveva detto che era professore, insegnava applicazioni tecniche in una scuola abbastanza lontana.

Certo era un nuovo film, in uno era poliziotto, nell'altro professore. Aveva letto tanti libri, sapeva un mucchio di cose. Comunque era forte lo stesso, sotto la camicia si vedevano tutti i muscoli tesi, pronti a colpire.

Per mangiare aveva voluto prenderla sulle ginocchia, l'aveva imboccata piano piano come gli uccellini nel nido. Poi aveva insistito per farle il bagno. L'aveva spogliata come la volta prima e si era spogliato anche lui. Le aveva detto sei bellissima, e le aveva passato una mano sulla schiena fermandosi sul culo. Nell'acqua le aveva chiesto di mostrargli com'era fatta dentro, di allargare le gambe. Lei aveva avuto paura: e se, per caso, si accorgeva che c'era stato anche Mirko? No, non avrebbe mai aperto.

Ma quando si era chinato e piano piano, come se nella bocca cercasse qualcosa, l'aveva baciata con tutta la lingua, non aveva pensato più a niente e le gambe si erano aperte da sole. Nel tepore dell'acqua aveva infilato due dita dentro. Anche lui, seduto sul gabinetto teneva una mano in mezzo alle gambe e con gli occhi chiusi la faceva andare avanti e indietro.

Uscita dalla vasca le aveva fatto infilare una camicia da notte. Anche se il sole era alto l'aveva portata a letto. La stanza era quella dell'altra volta con il letto chiaro e tutti i giocattoli intorno. Voleva chiedergli di continuare la storia del soldatino con una gamba sola. Si era sempre chiesta in quelle settimane come andava a finire davvero ma lui aveva detto: – Abbraccia questo e dormi – e le aveva dato in mano un orsacchiotto di pezza. Poi aveva spento la luce ed era uscito senza fare rumore.

Vesna aveva cercato di obbedirgli ma non c'era riuscita, aveva chiuso gli occhi come se dormisse invece non dormiva affatto, era sveglia anche quando lui era tornato, quando piano piano le aveva sollevato la camicia da notte e le si era messo sopra. Più si muoveva, più diceva cose. Anche lei dentro di sé parlava, diceva: – Love, love, mio love –.

A casa sua era rimasta quattro giorni. Facevano sempre il bagno insieme, mangiavano, guardavano la televisione. Ogni volta che lei a letto fingeva di dormire, lui le saliva sopra e si muoveva avanti e indietro. Il secondo giorno qualcuno aveva suonato alla porta. Aveva paura che fosse Mirko. Love forse lo sapeva perché non l'aveva aperta. Non aveva neppure chiesto: – Chi è? –. Qualche volta aveva squillato anche il telefono e lui prima di rispondere l'aveva spinta in un'altra stanza. Spingendola le aveva detto di stare zitta e ferma.

Poi, un mattino, si era alzato più presto. L'aveva fatta vestire con i suoi vestiti di sempre. Camminando un poco avanti l'aveva riaccompagnata vicino al ponte. Non si era più girato a salutarla. Neppure aveva promesso di tornare. Questa volta però lei sapeva che sarebbe tornato. Ne era certa. L'ultima notte, mentre si muoveva fortissimo, le aveva bisbigliato: – Ti voglio tutta bambina mia, tutta, voglio un bambino tutto nostro, insieme.

Love. Anche lei lo voleva. Voleva un gattino cui dare il latte per sempre.

Aveva trascorso l'intera giornata sul ponte, come se non fosse stata mai via. Quando la luna era salita in alto era andata all'appuntamento con la macchina. Un po' aveva paura e un po' no. L'avrebbero picchiata perché era stata via tanto tempo? Quasi di sicuro avrebbe preso un mucchio di botte ma poi lei avrebbe detto quello che era successo. Presto si sarebbe sposata, avrebbe avuto prima un bambino e poi tanti e tutto sarebbe tornato a posto. Forse addirittura le avrebbero fatto una grande festa.

La luna adesso aveva superato la metà del cielo. La macchina non c'era. Non c'era neanche nessun altro bambino ad attenderla. La luna era scesa più in basso e lei era sempre lì ferma. Era passata soltanto una macchina della polizia, aveva rallentato. Lei si era nascosta dietro un grosso platano, per un po' di tempo aveva guardato fissa la corteccia. C'erano due formiche che giravano in tondo, muovevano le antenne come se si chiamassero senza voce.

Possibile che si fossero scordati di lei? Che se ne fossero andati dalla città? Tante volte aveva sentito Mirko dire ci trasferiremo al nord dove la gente è più ricca. Oppure poteva essere successa anche un'altra cosa: Love, dopo averla lasciata era andato al campo a chiedere la sua mano. Mirko non gliel'aveva data e lui con un caricatore solo li aveva uccisi tutti. Adesso era a casa, si stava riposando, toccava a lei raggiungerlo.

Quando dal lato opposto della luna comparve il sole Vesna s'incamminò verso il suo appartamento. Arrivò al portone mentre cominciavano a passare i primi autobus. Alzò il capo, gli scuri erano aperti, una delle finestre illuminata. Toccò il campanello come fosse di brace accesa, sfiorandolo appena. Attese a un passo dalla porta, non successe niente. Lo premette ancora, con più forza. Lasciò lì il dito contando fino a tre. Il cuore, intanto, aveva ripreso a correre dappertutto, era diventato persino fiato, stava in gola, sulla lingua, correva come se lei avesse corso, invece lei stava ferma.

Non ebbe il coraggio di suonare una terza volta.

Probabilmente, pensò, Love dormiva pesante; così pesante che i rumori non gli toccavano le orecchie. Aspettando si era accorta di avere fame. Raggiunse allora un forno, spese tutti i suoi soldi in brioche e panini. Finito di mangiare decise di attendere ancora un po' prima di ritornare al portone. Intanto era libera, poteva passeggiare come tutti gli altri, fermarsi quanto le pareva davanti alle vetrine.

Fu proprio guardando tutte le cose esposte che le venne quell'idea. L'idea di tornare da Love con un regalo. Decise quale appena vide confuso tra gli altri un piccolo sapone rosa scolpito come un cuore. Il problema era riuscire ad averlo. Se fosse stato in uno di quei negozi grandi grandi dove nessuno ti guarda sarebbe stato facile prenderlo. Invece era in un negozio piccolo piccolo con la padrona dietro il banco e così prima di averlo doveva avere i soldi.

C'era tanta gente per le strade, adesso. Gli autobus passavano stracarichi con le ruote basse. Ne scelse uno a caso. Era così pieno che riuscì a stento a salire.

Gomiti, tasche, culi e borse, pance elastiche e gonfie. Quanto tempo sarebbe durata la corsa? Bisognava decidere presto, scendere mischiati alla folla finché si era ancora in centro. Ragazzi di scuola, signori con le giacche, cinesi con borse di plastica. Finalmente una borsa ampia, di pelle morbida vicino a una donna elegante.

Quando le dita sfiorarono il portafoglio vide Love davanti a sé e lei che gli porgeva il cuore.

Ci fu un urlo. Qualcuno l'afferrò per i capelli, qualcun altro le mollò due schiaffi, uno dal fondo gridò all'autista: – Ferma! –. Alla signora tremava la voce, diceva: – Se non l'avesse vista lei io non me ne sarei mai accorta –. L'uomo diceva: – Quando si vede uno di questi intorno bisogna stare sempre con gli occhi aperti –. Intanto teneva la gola di Vesna come se fosse stato il manico di un ombrello. La polizia giunse con tutte le luci accese, i poliziotti non dovettero salire perché fu lei a scendere spinta giù da un calcio.

La macchina bianca e blu correva forte e faceva rumore come se lei fosse la persona più importante del mondo. La scaricarono in un grande palazzo dentro una stanza dove c'era tanta altra gente. Stavano tutti seduti su due panche contro il muro, con gli occhi guardavano per terra, oppure per non guardare si tenevano le mani sulla faccia. La chiamarono dopo molto tempo. Aveva i piedi freddi e la pancia di nuovo vuota. E se Love non vedendola arrivare a casa e non trovandola neppure sul ponte avesse pensato che lei se ne era andata per sempre, che di lui non le importava niente?

Quando la donna in divisa dietro il tavolo le domandò il suo nome, all'improvviso e senza sapere perché scoppiò a piangere. Alle sue spalle un uomo esclamò: – Li fanno in serie, con le lacrime in tasca!

La donna si sporse verso di lei, un'altra volta, con voce gentile le chiese: – Come ti chiami? –. L'uomo del primo appartamento, quello che le aveva insegnato tante cose, aveva detto: – Non dite mai il vero nome –. Alla terza domanda della donna Vesna alzò il capo e con gli occhi ancora umidi mormorò: – Love.

Quanti anni aveva? Ne aveva come due mani con le dita tutte alzate.

Più tardi salì su un furgone con altre ragazze. C'erano due finestre piccole piccole con la rete sopra così si sentivano i rumori di fuori ma non si vedeva niente. Scesero in un cortile di cemento grande grande con due alberi in mezzo. Dovette attendere ancora in un'altra stanza. Poi una donna la chiamò, la fotografarono, le diedero un numero, la pesarono, misurarono quant'era alta. Una volta, con il padre vero, aveva portato il loro unico cavallo in un posto quasi uguale. L'avevano pesato, misurato, l'avevano trascinato in un altro locale. Era uscito dritto disteso, la stella bianca nel mezzo della fronte era diventata rossa, zampillava senza fermarsi come le sorgenti nella roccia. Le stava per succedere la stessa cosa?

La signora che venne a prenderla dovette faticare non poco per farsi seguire. La stanza era un'altra ancora, c'erano due sedie, un tavolo. La signora una dopo l'altra le aveva mostrato delle macchie, le aveva chiesto cos'è questa cosa, cos'è quest'altra? Cos'altro potevano essere se non erano macchie? Erano macchie. Allora, parlando con voce calma le aveva fatto tante domande. Quanti anni aveva davvero? Dov'erano la sua mamma, il suo papà, i suoi fratellini? Era andata a scuola? Sapeva leggere, scrivere, sapeva perché era lì? Poi si era alzata, aveva detto: – Va bene, quando ti deciderai a parlare basta che mi fai chiamare.

Le aveva dato una penna, un foglio. Con il dito le aveva mostrato dove mettere la firma. La firma aveva ripetuto, il tuo nome, insomma. Se il nome era Love la firma quale poteva essere? Un cuore, certo. Prese la penna come fosse un cucchiaio, piano piano, attenta ai contorni ne disegnò la forma.

Nei giorni seguenti non successe niente.

Stava in una camera con altre ragazze. Quand'era l'ora di mangiare mangiava, quand'era l'ora di uscire andava nel cortile. Se non fosse stato per Love, lì sarebbe stata davvero bene: nessuno le dava fastidio, pranzava tante volte al giorno, dormiva quanto ne aveva voglia. Quand'era sulla branda per sentirselo vicino si raccontava la storia del soldatino con una gamba sola.

La storia era questa. Era arrivato in quella bella casa dentro a una scatola assieme a tanti altri soldati con tutte e due le gambe. Lì abitava anche una ballerina. La ballerina aveva anche due gambe ma siccome una stava su sembrava che ne avesse una sola. Così lui si innamora. Ma sono lontani e lui non le può parlare. Un giorno il soldato sta sulla finestra, viene un colpo di vento e casca giù. Un bambino lo mette su una barchetta di carta, la barchetta corre con l'acqua, arriva davanti a un pesce e il pesce se la mangia. Allora il soldato con una gamba sola finisce nella sua pancia come se fosse il suo bambino.

La storia che conosceva finiva lì, ma la fine non doveva essere proprio quella perché aveva visto che c'erano ancora tante pagine da leggere e dunque la storia andava avanti e poi finiva.

Uno di quei giorni, quando stava lì a raccontarsela era venuta una donna alla porta e aveva detto Love forte. Se ci si punge un piede su una spina si salta così come lei aveva saltato sentendo quel nome. Aveva seguito la donna per i corridoi camminandole accanto un po' su un piede un po' sull'altro.

Love doveva essere là, dietro una di quelle porte. Gli sarebbe saltata al collo appena l'avesse visto? Sì, e lui con le sue braccia forti l'avrebbe tenuta per un po' in alto. Poi sarebbero usciti da lì. Un'auto li aspettava fuori. Partiva veloce con loro sopra.

Quando la donna appoggiò le dita sulla maniglia, lei piegò un po' le ginocchia pronta al salto... la porta si aprì: non c'era Love ma un uomo con il camice bianco.

L'uomo disse: – Ecco l'amore! –. La sollevò, la mise su un lettino e disse: – Togliti le mutande.

Non era come con Mirko, neanche come con il Giustiziere. Invece che mettere il suo coso metteva dentro un ferro. Invece di dire parole carine o brutte stava zitto. Alla fine, anche se non si era sporcato le mani, se l'era lavate sotto l'acqua. Lavandole aveva fatto mmh, mmh e quando con le mutande di nuovo addosso era scesa dal letto, le aveva detto: – Lo sai? Là dentro c'è un bambino.

L'aveva messo lui là dentro, ficcato con quel ferro luccicante e freddo? Non poteva essere, l'aveva guardato bene prima che lo mettesse dentro: sembrava un cucchiaio; un po' un imbuto e un po' un cucchiaio e sulla cima e in mezzo non c'era proprio niente. Allora era Love, Love era lui che gliel'aveva messo senza che si accorgesse quell'ultima notte. Aveva detto: ti voglio tutta, voglio un bambino tutto nostro, insieme e ecco il bambino era venuto. Si era sistemato là dentro come in una piccola casetta.

Per quello negli ultimi giorni non aveva mai fame. Avrebbe potuto mangiare tutto quello che voleva ma non aveva voglia di niente, forse di vomitare. Sì, di vomitare come quando Mirko gliel'aveva messo in bocca. Intanto lui là dentro cresceva, stava già crescendo da tantissimi giorni.

Qualche volta si rompono le uova per mangiarle e invece non si possono mangiare perché non c'è il giallo ma una specie di sputo. Uno sputo un po' più duro di uno sputo.

Una volta l'aveva guardato bene, su quello sputo c'era qualcosa come due occhi, una parte molla e socchiusa che sembrava il becco. Insomma, se stava un po' dentro quasi sicuro diventava un pulcino.

Al posto della pancia adesso aveva un uovo e quell'uovo sarebbe cresciuto ancora e ancora finché ci si poteva accorgere che c'era qualcosa dentro. Cresceva, stava crescendo. Se a febbraio si sollevano le zolle di terra grosse sotto c'è l'erba che è già un'erba grossa ma sta sotto.

Cresceva, pensò, e con le mani sul ventre si sdraiò sulla branda.

Il mattino dopo non era più lì ma seduta su un treno con una signora che la teneva per mano. Le avevano detto che era troppo piccola per stare in quel posto e l'avevano portata in stazione. Non era mai salita su un treno. Era bello. Se si sedeva da una parte il mondo andava avanti, se si sedeva dall'altra, indietro. Era ancora più bello perché sapeva che tutto quel movimento era per andare da Love. Nessuno gliel'aveva detto ma lei lo sapeva lo stesso. Ci sono cose che si sanno così, come gli uccelli sanno quando arriva l'inverno. La signora era gentile, ogni tanto le chiedeva: – Vuoi mangiare qualcosa? Vuoi andare al gabinetto?

Ma lei non voleva niente voleva solo arrivare presto, prestissimo.

Poi si era addormentata. Mentre la testa sbatteva di qua e di là aveva sognato. Invece che la sua faccia aveva la faccia di un angelo del ponte. La faccia era di pietra, le cadeva da tutte le parti e non poteva fare niente. Quando cercava di farla stare ferma, sentiva la voce della sua vera mamma. Gridava il suo nome forte per i prati intorno, arrabbiata, ma lei non rispondeva proprio per niente. Stava seduta in un cespuglio e aveva un uovo tra le gambe. L'uovo si apriva e invece che un pulcino usciva un angelo: un angelo come quello del ponte però leggero leggero, così leggero che la prendeva per una mano e la portava con lui in cielo. In che modo fosse fatto il cielo non arrivava a saperlo perché all'improvviso era nella casa di Love. Era sola nell'appartamento e sapeva che lui stava arrivando. Era così contenta che si muoveva avanti e indietro come si muovono i cani quando sono contenti. Sentiva i passi su per le scale. Stava lì quando la porta si apriva e invece di Love era suo padre. L'afferrava per un braccio, glielo storceva dietro e lei cadeva. Cadendo sbatteva forte la testa sul pavimento.

Ad un tratto era sveglia. Dov'era? Già, era sul treno.

Fuori il mondo non andava più da nessuna parte. Era buio e non si vedeva niente. Adesso però lei, all'improvviso, sapeva dove stava andando. Andava dai genitori veri, dai suoi fratellini laggiù, vicino al fiume.

Prese un braccio della signora, lo scosse, gridò pipì. Rimase nel gabinetto per un po'. La signora stava fuori e ogni tanto batteva. Quando il treno rallentò la corsa tirò in dentro la pancia quanto poteva, cercò di diventare come quegli animali piatti e viscidi che stanno nell'acqua e divorano il sangue. S'infilò tra i vetri in quel modo, appena il treno andò ancora più piano si lasciò cadere giù. C'era l'erba là sotto, siccome era autunno aveva smesso di crescere.

Per tornare nella città di Love impiegò quattro giorni interi. Saliva e scendeva dalle auto e dai camion. Qualche autista, per trasportarla, le chiedeva qualche cosa in cambio e lei gliela dava come l'aveva data a Mirko, senza pensare a niente. Quando giunse alla periferia era notte fonda. Invece di andare subito da lui, si infilò in un portone aperto. Si nascose tra le cantine e la rampa delle scale. Non dormì affatto. Era l'ultima, proprio l'ultima notte che non dormiva nel letto. Le ali degli angeli potevano scendere nei piedi, stare lì invisibili al posto delle scarpe? La mattina dopo sarebbe stato così, sarebbe volata da lui. Anziché fare le scale si sarebbe affacciata direttamente all'appartamento di Love. A quell'ora lui dormiva ancora, dormiva come un bambino. L'avrebbe osservato per un po' dormire poi avrebbe bussato piano piano con le nocche sul vetro. Allora lui sarebbe balzato su, avrebbe aperto la finestra. Lei con un saltino sarebbe entrata dentro e gli avrebbe mostrato la pancia, l'uovo che andava crescendo nella pancia. Da quel momento in poi e per sempre sarebbero vissuti felici e contenti.

All'alba con un autobus aveva raggiunto il fiume. Da lì aveva proseguito a piedi. Le scarpe erano sempre le stesse, al loro posto non erano spuntate le ali. Così, invece di volare, era stata costretta a guardare da sotto in su. Due finestre erano illuminate e una aveva i vetri aperti. Quando suonò, il suono, per una via segreta, salì all'appartamento e tornò giù alle sue orecchie dalla finestra aperta. Il cuore, intanto, era finito nelle ginocchia e non sapeva come richiamarlo in su. Suonò di nuovo, il cuore vibrò in gola e non successe niente. O meglio qualcosa sì, ma non sapeva se era vero o no. Dietro una tenda, svelta svelta, era comparsa una figura. Una figura che sembrava di donna.

E se Love intanto che lei era via fosse andato ad abitare in un altro posto, in una casa più grande? Per saperlo, poteva fare una cosa sola, chiederlo a chi abitava lì adesso. Dal portone uscirono due persone. Quando uscì la terza, un bambino un po' grasso, lei si infilò dentro. Salì le scale a due a due di corsa, si fermò un po' prima della porta per riprendere il fiato. Sul pianerottolo si accorse di una cosa che non si era mai accorta prima. Anche se stava immobile immobile, non era immobile, qualcosa si muoveva nella pancia. Era già lui? Voleva uscire così presto? Se lo vedeva già fuori, Love poteva pensare che era di qualcun altro. Doveva aspettare ancora. Mise una mano sulla pancia e piano piano glielo disse. Disse: – Non aver fretta che poi staremo tanto tempo insieme io, te e anche il papà.

Poi si alzò in punta dei piedi e suonò. Lì il rumore del campanello era molto più forte, si poteva sentire tutto dietro la porta. E infatti sentì, sentì la voce di un bambino dire: – Chi sarà mai a quest'ora? – e la voce di una donna rispondere: – Forse è la posta urgente – e i suoi passi avviarsi verso la porta. I capelli che pendevano in avanti li buttò indietro sulle spalle e si tirò su dritta. Ma la donna non arrivò mai davanti a lei. Dal fondo dell'appartamento si sentì la voce di un uomo. – Non aprire! – gridò quella voce – a quest'ora sono solo gli zingari o i testimoni di Geova!

Love.

Per un momento pensò: – Non è vero. Sembra lui ma non è –. Anche se avesse voluto andare via non poteva. I piedi erano diventati di legno. Il legno con le sue radici si stava espandendo su per le gambe, per tutto il corpo. Il cuore era ancora lì, adesso era di pietra anche lui, un sasso che aveva smesso di battere. Così lo sentì parlare ancora.

– Finiscimi di raccontare la storia – diceva la voce di un bambino e la voce dell'uomo: – Sei già in ritardo, la finisco stasera prima che vai a letto –. La voce del film, proprio quella. La voce di Love.

Le pietre anche se salgono in aria di un poco poi cadono in basso. Scese le scale senza accorgersi. Andò più in giù del pianoterra, raggiunse l'interrato. Se non ci fosse stato un muro sarebbe andata ancora avanti. Davanti al muro piegò le caviglie, le ginocchia, si lasciò cadere seduta.

Non aveva fame né sonno né voglia di niente. Quasi non sapeva dov'era. Nella pancia si muoveva qualcosa. Era il quasi sputo? Sì, doveva essere lui. Voleva venire fuori, vedere la luce. Ma lì era buio che non si vedeva quasi niente e c'era anche una forte puzza. Se lei gli raccontava una storia lui le prometteva di stare fermo, di non dare più fastidio? Sapeva una storia sola, sempre la stessa: di due che si innamorano perché hanno una gamba sola. Lui era un soldato, lei ballava. Lui era molto più innamorato di lei, lei anzi non lo amava proprio per niente perché stava lontana e non poteva vederlo. Poi, un giorno succede una disgrazia. Lui cade dalla finestra e un pesce lo mangia. Lì tutto è buio e non capisce più niente. Lui allora pensa, già una volta quand'ero uno sputo stavo in una pancia. Un giorno il pesce viene pescato e un signore se lo mangia tutto intero non si sa dove finisce il soldato, ma nessuno gli voleva bene e così non importa molto. Intanto la ballerina si è innamorata di un altro soldato. Lui ha tre gambe e si sposano felici per sempre perché lui le regala una gamba.

Chissà ai bambini prima di nascere che storie piacciono? Al suo quella non era piaciuta proprio. Gli era piaciuta così poco che era venuto fuori al buio, lo sentiva sguazzare tra le sue gambe dentro una cosa calda che doveva essere sangue.

UN'INFANZIA

Primo colloquio

Immagini questo, ad esempio. Ci sono due macchine che si muovono alla stessa ora da parti opposte. Una delle due sarebbe dovuta partire prima ma il proprietario all'ultimo momento viene trattenuto mezz'ora al telefono. Se non fosse andato a rispondere sarebbe partito in tempo giusto? Invece no, va a rispondere e ritarda. Allora escono tutti e due alla stessa ora. Mentre già entrambe sono in viaggio, sulla strada che percorreranno si ribalta un grosso camion. Viene rimosso presto ma al suolo resta una macchia d'olio. Proprio in quel tratto una delle due macchine va velocissima. Su quale corsia è l'olio? È sulla sua. L'altro va piano, pensa alla moglie che da un po' di tempo non sta molto bene. Vuole portarla da un medico quando in un lampo si accorge che una macchina della corsia opposta gli sta venendo addosso. Quella macchina lo investe. Non pensa ad altro perché muore sul colpo. Se avesse lasciato squillare il telefono anziché rispondere non gli sarebbe successo niente. Sarebbe morto qualcun altro al suo posto oppure nessuno. Magari quello che doveva morire se ne sta già a casa sua in pantofole davanti alla televisione, sta lì e vede quell'incidente spaventoso. È la strada dov'è passato lui? Sì, è proprio quella. Anche l'ora è quasi la stessa. Che fortuna dice la moglie e gli passa la mano tra i capelli. Fortuna. Capisce? Fortuna. Comunque, andiamo avanti. Ci sono bambini che già a sei anni dicono: voglio fare il medico e poi lo fanno davvero. Altri vogliono fare gli ingegneri, i missionari, i meccanici d'auto e poi lo fanno davvero. A scuola avevo un amico che già a cinque anni smontava tutti gli elettrodomestici di casa e li rimontava in modo perfetto. Voleva fare il fisico, l'aveva nel sangue, capisce? Nel sangue o in qualche altro posto, comunque da qualche parte c'era scritto: Giovanni farà questo e Giovanni lo fa perché non può fare altro. Così io. Un bambino fortunato. Nel giorno stesso in cui ho imparato a fare domande ho saputo anche qual era il mio compito. Non ero nato per curare gli uomini o costruire le macchine, ero nato per fare ordine nelle cose intorno. Sono venuto al mondo in autunno, il giorno e il mese lo sa, l'ha letto nelle carte. Lo dico perché anche questo c'entra. L'oroscopo del segno sottolinea la pazienza meticolosa e caparbia, una spiccata tendenza all'ordine. È nello spirito della stagione: tutto muore, si raccoglie sotto, si mescola putrescendo per rinascere più tardi. Introspezione, analisi, rigore, memoria prodigiosa appartengono a chi è nato in quel periodo. Così per me. Non ricordo quando ma credo più o meno da subito, dal momento in cui ho imparato a usare la lingua ho cominciato a fare domande. Uscivo con mia madre e le chie-

devo cos'è questo, cos'è quello? E lei rispondeva
questo è un sasso, quello è un uccello.

Era vero e non era vero. Perché sasso era ogni
volta qualcosa di diverso e l'uccello era piccolo e
marrone o grande e nero con il becco giallo.
Bisognava fare ordine, per farlo bisognava sapere
i nomi. Allora chiedevo ancora: cos'è questo,
cos'è quello? Ma lei rispondeva: non essere
noioso, te l'ho già detto e mi trascinava avanti per
un braccio. Già quella volta mia madre lavorava
come infermiera. Quando andavo con lei all'ospedale le sue colleghe mi pizzicavano le guance. Mi
dicevano, sei contento? hai la mamma più buona
del mondo! Era buona, infatti, solo che non aveva
pazienza. A tavola io pensavo solo a quello, ai
nomi, e mangiavo lento. Lei invece aveva fretta.
Così per imboccarmi mi tappava il naso. Quando
non respiravo più aprivo la bocca e lei subito mi
infilava la forchetta in gola. Sulla carne ci siamo
scontrati molte volte. Non mi piaceva, non mi
piace neanche adesso.

Il sangue mi ha sempre fatto orrore.

Secondo colloquio

Lei aveva quel lavoro fin da poco dopo ch'ero nato. Era un lavoro ma anche una passione. Per Natale ha sempre ricevuto decine e decine di biglietti di auguri. Con i suoi pazienti ci metteva il cuore. A casa, però, era sempre stanca, così molto presto ho capito che era meglio non disturbarla con le mie domande. Me le facevo da solo e da solo mi rispondevo. Poi, per fortuna ho cominciato ad andare a scuola. A scuola ho imparato a leggere. Solo allora il mio ordine ha preso una vera forma. Stavo con i libri sulle ginocchia, leggevo ad alta voce per ore. Leggevo piano, sillabando una parola dietro l'altra. C'era una figura e vicino un nome. Così ho imparato che quell'uccello con la pancia rossa era il pettirosso, quel sasso quasi trasparente il quarzo. Era un'emozione ogni volta. In tutto il disordine intorno qualcosa prendeva il suo posto. Se non lo facevo io non c'era nessun altro a farlo. Dovevo farlo.

La prima passione furono i sassi. Erano la cosa più facile da catalogare. Stanno lì fermi, basta chinarsi per raccoglierli. A sette anni ne avevo già più di cento. Alla mamma non l'avevo detto, no. Un po' avevo paura, un po' volevo farle una sorpresa. Un giorno sarei stato un grande scienziato, uno scienziato grandissimo. Lei l'avrebbe saputo dalla stampa. Un mattino avrebbe aperto un giornale e avrebbe visto la foto di suo figlio. Sul principio, forse, avrebbe pensato a uno sbaglio. Ma poi, leggendo il testo, avrebbe capito che era proprio vero, che era proprio suo figlio uno dei più grandi scienziati del mondo. Allora mi avrebbe perdonato tutto. Mi avrebbe abbracciato come abbracciava i suoi pazienti quand'erano guariti.

A quel tempo dormivamo spesso insieme. Non mi invitava lei, ero io che la raggiungevo quando già dormiva. Le lenzuola erano fredde e lei stava con il corpo tutto rannicchiato da una parte. Pareva un alpinista sull'orlo di un burrone. Anche a me piaceva far finta di cadere, così mi aggrappavo dietro di lei, sulla sua schiena, e cadevamo insieme fino quasi al mattino. Tornavo nel mio letto un po' prima che comparisse il sole.

Per una cosa si arrabbiava, sì: perché non la guardavo mai negli occhi. In effetti tenevo gli occhi sempre per terra. L'abitudine dei sassi, credo. Non so, non guardavo mai negli occhi neanche la maestra, né lei, né la maestra, né nessun'altra. Lei diceva guardami! e io diventavo rosso. Diceva guardami! ancora e il mio collo si piegava avanti ad angolo retto con il corpo. Allora mi prendeva per il mento e tirava indietro. Tirava indietro fino a che faceva crack e io chiudevo gli occhi. Li chiudevo e lei li apriva con le dita, sollevava le palpebre come fossero due tende. Mi guardava dritta e urlava: – Guardami! Guardami!

–. Diceva che chi non guarda negli occhi o è vile o nasconde qualcosa di brutto. Io non potevo dirle dei sassi, doveva essere una sorpresa per quando ero grande. Così mi prendevo sempre un sacco di botte.

Nello stesso periodo in cui cominciarono ad arrivare gli zii, presi l'abitudine, prima di dormire, di ripetere i nomi di tutti i miei sassi. Non li ripetevo guardandoli, ma con gli occhi chiusi sotto le coperte. Ero sicuro che se li ripetevo tutti giusti non succedeva niente.

Gli zii erano degli amici della mamma. Venivano dopo cena. Erano tanti, diversi tra loro e con me parlavano poco. Le facevano del male, sono sicuro. Parecchie volte anche con tutte le porte chiuse ho sentito i suoi lamenti. Per questo non potevo sbagliarmi nel ripetere i nomi dei sassi, perché sennò moriva. No, non ha ancora il minimo sospetto del fatto che se è viva lo deve a me. Ordine, introspezione, memoria prodigiosa vede? Già quella volta possedevo al massimo grado tutte le doti del grande scienziato.

Terzo colloquio

A scuola non andavo per niente bene. Non mi piacevano gli altri bambini. Facevano rumore, gridavano forte senza nessun motivo. Adesso penso che forse mi sarebbe piaciuto essere come loro: gridare, sporcarmi, essere disubbidiente e farmi punire per questo. Ma quella volta ero assorto in cose diverse. La maestra spiegava le frazioni e io pensavo com'è possibile che ci siano tante forme al mondo? Perché non un uccello ma tanti? Perché non solo il topo ma anche lo scoiattolo; lo scoiattolo e il castoro? Naturalmente non sapevo ancora nulla dell'evoluzione, tutta la storia delle mutazioni vantaggiose, del mangiare ed essere mangiati, del trovare una nicchia giusta e rimanervi rintanati e sicuri fino all'avvento di un nuovo ordine. Quindici anni fa non si usava dire queste cose ai bambini.

Adesso a sei anni sanno già tutto. Conoscono i dinosauri e la causa della loro scomparsa. Sanno come vengono al mondo i bambini e in che modo finirà la galassia. Ma ai miei tempi no, non si sapeva niente. Al massimo la maestra diceva: un giorno Dio si svegliò annoiato e così, per distrarsi, fece il mondo, impiegò sei giorni per farlo, un giorno per ogni cosa, al settimo, che era una domenica, si riposò. Ci credevo un po' sì e un po' no. Quando pensavo alla fronte di Dio imperlata di sudore e alle sue braccia enormi, muscolose e stanche, le dita agitate da un leggero tremito non ci credevo più. Prima delle lezioni recitavamo sempre una preghiera, dicevamo, Dio onnipotente che sei nei cieli... Dunque, se era onnipotente come aveva fatto a stancarsi? Non ci potevo credere fino in fondo, giusto? Così continuavo a pensare alle cose, ai nomi, e andavo male a scuola. Una volta all'anno la maestra convocava la mamma e le diceva: il bambino è apatico, ottuso, non si interessa a nulla. A casa non mi sgridava, no. Mi diceva: perché non vai in cortile a giocare con gli altri bambini? e mi spingeva fuori. Qualche volta guardandomi senza dire niente sospirava forte. Sospirava forte come i cani quando stanno per addormentarsi. Ma poi aveva il lavoro all'ospedale, gli zii che venivano a trovarla e di me si dimenticava spesso. Diceva: vuol dire che da grande andrai a fare il commesso, e io annuivo. Dicevo, sì, va bene venderò stoffe o salami anche se ero sicuro che sarei stato un grande scienziato.

In realtà io sapevo rispondere benissimo alle domande della maestra, lei chiedeva chi di voi sa perché questo è così o colà? E io ancor prima che avesse finito di parlare già lo sapevo. Lo sapevo dentro di me ma stavo zitto. Pensavo è impossibile che la risposta sia questa, deve esserci un tranello, è troppo semplice, al mondo non c'è niente di semplice e così stavo zitto. Poi lo diceva qualcun altro ed era proprio quello che avevo pensato allora mi tiravo su dritto sul banco, mi guardavo intorno con meraviglia, davvero era così semplice? E infatti dopo neanche un minuto sapevo che quella era solo una delle risposte possibili, che ce n'erano mille altre vere. Tutto era così, un po' vero, un po' no. L'importante era saperlo e sapendolo, fare ordine.

Naturalmente tra tutte le materie preferivo la matematica. Non è che andassi bene ma mi piaceva lo stesso. Se il rubinetto di una vasca eroga quattro litri al minuto e la vasca ne contiene sessanta, in quanto tempo sarà piena fino all'orlo? Tutte si riempivano nel tempo giusto tranne la mia. Nella mia cadeva un pezzo di soffitto e con il soffitto la signora del piano di sopra, allora l'acqua anziché uscire traboccava fuori e oltre a traboccare c'era anche un morto, la signora del piano di sopra.

Vede? Avevo un grande talento. Se qualcuno l'avesse capito forse tutto sarebbe andato diversamente. Si ricorda le macchine dell'altro giorno? Così vanno le cose. Questione di spostamenti che avvengono in tempo o non avvengono.

Quarto colloquio

Vorrei parlare ancora della scuola. A casa ero quasi sempre solo. Pensavo e pensando mi davo ragione mentre lì, in classe, vedevo le cose degli altri e sorgevano dei contrasti.

Certo, le maestre dovrebbero istruirle un poco meglio. Oltre la storia e la geografia dovrebbero insegnare loro anche la delicatezza. Non so se si può insegnare oppure se è una cosa già dentro, comunque la mia non lo sapeva. Gridava sempre e quando non gridava era stanca.

Un giorno nell'ora di italiano ha dato un compito. Una composizione dal titolo: «Il mio papà». Quanti anni avrò avuto? Circa otto, non più di otto.

Comunque io il mio papà non l'ho mai conosciuto di persona, così appena sentito il titolo, mi avvicino alla cattedra e dico piano: signora maestra, non lo posso fare. Allora lei si alza di scatto e grida: – Lo fai! Lo fai come lo fanno tutti gli altri! –. Ora, il problema era questo, io non l'avevo mai visto di persona ma sapevo quello che faceva e sapevo anche che non si poteva dire quello che faceva perché era un segreto. Segreto, appunto. Lui era un agente segreto. A dire il vero nessuno me l'aveva detto. Ero io che l'avevo intuito. L'avevo intuito e poi l'avevo chiesto alla mamma e lei non aveva detto né sì né no. Così ho capito che era vero, che era proprio un agente segreto. Per questo non stava mai a casa.

Insomma prendo il foglio e scrivo: «Il mio papà io non lo conosco perché fa un mestiere che non lo deve vedere nessuno. So però che è alto, forte e tira benissimo con la pistola. Ha mani grandi e robuste e tiene le unghie sempre corte. È campione di karatè e con un pugno solo può uccidere un toro. Io non so mai dov'è e cosa fa ma posso dire che per lavoro difende i paesi buoni da quelli cattivi. Un giorno quando avrà finito la sua missione verrà a prendermi a scuola. Forse verrà con la sua divisa di gala con le bande rosse e tutto il resto. Allora tutti vedranno chi è mio padre, ma intanto non lo deve sapere nessuno perché lui è un agente segreto e ogni giorno rischia la vita». Poi sotto avevo scritto: «questo compito è meglio bruciarlo dopo che è stato letto».

Ho messo quella riga perché avevo fiducia nella maestra, altrimenti non avrei scritto niente di quelle cose. Invece il giorno dopo lei cosa fa? Entra in classe con tutti i compiti in mano, si siede e dice: – Le bugie hanno le gambe corte – e comincia a leggere il mio tema a voce alta. Io non so dove guardare e tutti gli altri ridono. Poi me lo ridà indietro e dice forte, faresti meglio a studiare invece di inventare bugie. Così da quel giorno tutti cominciano a prendermi in giro. Quando usciamo si spingono forte e gridano: – È quello tuo padre?! O è quell'altro?! Oh, no, eccolo, guarda eccolo lì, vicino all'albero! È un agente così segreto che non si vede!

A tutti loro la mamma o il papà veniva sempre a prenderli. Non ho mai capito perché. È ridicolo per quella poca strada che c'è da fare tra casa e scuola. Non trova che molti genitori sono troppo apprensivi? Comunque a me non veniva a prendermi nessuno. La mamma non poteva perché lavorava. Il papà l'ho sempre atteso ma non è venuto lo stesso.

L'anno seguente i compagni continuavano a prendermi in giro. I bambini sono un po' stupidi, no? Quando si divertono con una cosa la ripetono fino alla noia. Intanto, però, durante l'estate era accaduta una cosa. Io ero cresciuto molto, mi ero sviluppato quasi come un ragazzo. Ero diventato forte, più forte di tutti gli altri compagni. Così, sopporto ancora per un poco. Poi, un giorno succede. Al primo della classe non lo viene a prendere nessuno. È un bambino gracile, con i capelli biondi e leggeri come quelli di una bambina. Di solito la sua mamma viene sempre, lo aspetta un po' fuori dalla porta, in pelliccia, sorridendo. Non sa cosa fare, allora gli dico non preoccuparti ti accompagno io. Lo prendo sotto braccio come fossi più grande. Ho dovuto faticare un po' per convincerlo a entrare nei giardinetti. Era quasi l'imbrunire, non voleva. Prima di aprirmi i pantaloni mi sono accertato che non ci fossero persone in giro, poi gli ho stretto la mano sul collo come una tenaglia e gliel'ho fatto succhiare finché per le lacrime non riusciva più a respirare. – Cosa fa tuo padre?! – gli gridavo intanto. – Cosa fa, eh?! –. È scappato correndo, gli ho urlato dietro: – Se lo dici a qualcuno ti rovino.

Invece l'ha detto, ha detto tutto subito appena arrivato a casa. I suoi genitori hanno telefonato a mia madre. Ha risposto lei, ha messo il ricevitore giù di scatto. Mi ha colpito con le scarpe, con il bastone della scopa. Sembrava pazza. Sbraitava: – Sei come tuo padre, un figlio di puttana, ecco cosa sei un figlio di puttana.

La loro storia l'ho conosciuta più tardi. Sì, me l'ha detta sempre in un momento di rabbia, gridando. Quel giorno mio padre era ubriaco, lei un po' brilla. C'era stata la festa di fine corso delle infermiere. Lui era un primario già sposato, con moglie e due figli piccoli. Mia madre un po' voleva e un po' no. Sa come vanno le cose quando si beve troppo? Si fanno senza pensarci tanto. Poi è successo e lei ci ha pensato troppo. Non era così facile allora. Mia madre era molto giovane, non aveva i soldi, non sapeva a chi rivolgersi. Un giorno diceva sì, un giorno diceva no, sperava che lui mi riconoscesse, che le desse una rendita.

Quando lui le aveva risposto che se c'era stata così facilmente con lui di sicuro ci stava facilmente con tutti gli altri e che dunque quel figlio proprio per niente era suo, era ormai troppo tardi. Stavo lì dentro già grande, non si poteva più snidarmi.

Quinto colloquio

Dopo quel fatto dei giardinetti i nostri rapporti si sono un po' raffreddati. Quand'era a casa si muoveva per le stanze come se io non ci fossi. C'ero ma faceva finta di no. Se preparava il pranzo o la cena la lasciava lì sul tavolo. Mangiavo quasi sempre da solo. Ogni tanto si arrabbiava ancora. Si arrabbiava non proprio con me ma per i fatti suoi. Allora gridava: – Ma io ti faccio sparire! Sì, ti chiudo in collegio! Lì sì che ti fanno rigare dritto – e andava avanti a gridare per un po'. Io però neanche ci facevo caso. Sapevo che non aveva pazienza, che si sfogava così e poi era tranquilla.

Possedevo ormai più di trecento minerali: una vera collezione. Proprio in quel periodo mi ero procurato alla biblioteca della scuola un testo di geologia. Lì c'era scritto tutto: quand'è nata la terra, quando si sono messe le pietre insieme e c'era scritto anche perché continuavano a rimanere una attaccata all'altra. Con l'aiuto di quel libro avevo iniziato a scrivere su ogni minerale una lunga scheda dettagliata. Avevo tanti foglietti di tutti i colori. Su uno annotavo, questa è pirite, si trova di qua e di là. Dentro, anche se non si vede è fatta così. Serve a questo e a questo. È entrata in mio possesso il tal giorno del tal mese e via dicendo.

In quel modo il tempo passava svelto e neanche mi accorgevo di quello che accadeva intorno. Non avevo fatto caso a uno zio che veniva a casa molto più spesso degli altri e neppure mi ero reso conto che la mamma gridava molto meno del solito.

Poi una domenica mattina capita questo, lo zio viene a casa con la sua macchina sportiva mi prende e mi porta via con lui. Lungo la strada mi dice che è un medico, che ha conosciuto la mia mamma tra una corsia e l'altra. Poco male, penso. No, quella volta non sapevo ancora che anche mio padre era un medico. Così, chiacchierando del più e del meno arriviamo a una spiaggia. Era inverno, lo ricordo bene. Non c'era nessuno, mischiate tra i sassi si vedevano delle lattine, delle bottiglie di plastica. Mi sentivo un po' inquieto, questo sì. Insomma arriviamo quasi con i piedi in acqua e lì lui si china, prende un sasso e lo lancia avanti. Il sasso come fosse vivo rimbalza tre volte sulla superficie e al quarto scompare sotto. Io lo guardo e non dico niente. Lui invece prende un sasso me lo dà in mano e dice prova anche tu. Io non voglio provare. Lo tengo in mano, lo giro e lo rigiro senza farci niente. Allora lui comincia a sfottermi. Dice: – Non vuoi lanciarlo perché non sei capace. Hai paura di perdere, di fare una brutta figura –. Lo ascolto per un po' facendo finta di niente ma dopo un po' mi stufo. Figuriamoci se non so lanciare un sasso e alzo il braccio...

proprio mentre sto lì tutto concentrato e teso, pronto al tiro, cosa succede? Lui con una mano mi sfiora la testa e dice: – Io amo la tua mamma e anche lei mi ama. Presto ci sposeremo e andremo a vivere tutti e tre insieme.

Dice questo e io lancio il sasso lo stesso ma ormai mi sono distratto e al primo impatto affonda, va giù dritto come un piombo.

Poi andiamo insieme a pranzo a casa. La mamma aveva preparato il pollo con le patate, lui aveva portato un dolce. Va tutto bene fino alla torta, loro ridono e scherzano e io sto zitto. Poi, quando la mamma mi mette la mia fetta nel piatto, non so perché grido: – Non la mangio! –. Lei insiste: – Ti sono sempre piaciuti i dolci – e via dicendo e io grido ancora: – Non la mangio, mi fa schifo! –. Alla fine mi arriva uno schiaffo. Mi trascina in stanza e lì piano piano, senza che lui senta, mi sibila in un orecchio:

– Non ti permetterò di rovinarmi anche questo, capito? Non te lo permetto. Piuttosto ti uccido con le mie stesse mani.

La notte stessa mi sveglio di colpo. Salto seduto sul letto e all'improvviso faccio una cosa che non avevo mai fatto. Incredibile, no? Mi metto a piangere.

Dopo due giorni non ho ancora mangiato niente. Sono sempre lì seduto sul letto e piango. Allora la mamma viene vicino dolce dolce, mi passa la mano nei capelli. Passandola mi chiede: – Perché piangi tanto? Per quello che ho detto l'altro giorno? Via, sei abbastanza grande per sapere che ero solo nervosa, perché continui a piangere?

Io dico: – Non lo so, non è per quello, non so

perché piango – e sprofondo la faccia nel cuscino. Allora lei dice: – Va bene, quanto ti deciderai a smettere di là è pronto il pranzo.

In realtà sapevo benissimo perché piangevo ma non lo potevo dire.

Sotto la crosta dura la terra ha un cuore di fuoco e molle. Sta tutto là sotto chiuso, compresso ma se qualcosa si rompe, con un terremoto per esempio, il cuore molle viene su, sale e sale fin dentro ai rubinetti e un giorno esce al posto dell'acqua e uccide tutti. Avrebbe ucciso anche la mamma, lei apre sempre la lavatrice senza guardare prima dentro.

Per questo piangevo, solo per questo.

Sesto colloquio

Di quella cosa lì, del matrimonio, non ne ho più sentito parlare per molto. Lo zio qualche volta si fermava la notte oppure veniva a prendere la mamma e andavano al cinema o a cena da qualcuno che lui conosceva. A me non era né simpatico né no. Niente. Solo mi sembrava come un mobile, era lì e cercavo di evitarlo. Credo che anche lui mi considerasse un comodino, una credenza o qualcosa del genere. La mamma era il letto e io il comodino. Doveva per forza portarmi appresso.

Comunque, un po' di mesi dopo arriva l'estate. La scuola finisce e la mamma dice che mi vede deperito e mi manda per un po' in campagna da sua sorella. Era bello lì. Me ne andavo tutto il giorno in giro per i campi e nessuno mi dava fastidio. Raccoglievo sempre sassi. Stando dalla mattina alla sera sotto il cielo piano piano ho cominciato a interessarmi anche agli uccelli.

Avevo un quadernino bianco. Me lo portavo sempre dietro e ogni volta che vedevo un animale di cui non conoscevo il nome scrivevo sopra dove l'avevo incontrato e com'era fatto. Al ritorno in città ero euforico. Oltre a conoscere più di trecento sassi, adesso conoscevo anche una ventina di uccelli. Si stava aprendo davanti a me un altro campo di studi nel quale avrei potuto eccellere.

Alla stazione venne a prendermi la mamma. C'era una macchina nuova di zecca che ci aspettava sul marciapiede opposto. Saliamo sopra e mentre lei guida per le strade strette io sto per tirare fuori il mio quadernino bianco. Ce l'ho già in mano quando mi accorgo che sta sbagliando strada. Allora glielo dico. Dico: – Ehi, ma dove stiamo andando?! – e lei senza guardarmi negli occhi cambia marcia e dice: – Lo zio e io ci siamo sposati, vivremo tutti insieme nella sua casa.

Così il quadernino scivola in tasca e io mi metto a guardare fuori dal finestrino. Penso, cosa succederà al ritorno di mio padre?

Penso così, perché neanche nei negozi grandi grandi ho mai visto dei letti a tre piazze. Intanto arriviamo alla casa nuova. La casa è una villa con il giardino e un grande cancello. Il cancello si apre senza toccarlo e noi entriamo dentro.

La casa ha due piani e tra uno e l'altro c'è una grande scala bianca. Lui sta lassù in cima, con le braccia raccolte sul petto, e ci guarda salire. Ricordo bene come vedevo il suo sorriso, lo vedevo da sotto in su di gradino in gradino e più lo vedevo meno mi piaceva. Insomma, alla fine arriviamo sulla stessa altezza e lui, senza che me l'aspetto, mi prende in braccio. Mentre sto lì che non so dove mettere gli occhi e neanche le mani, lui dice: – Ti piace la nuova casa?–. E poi: – Adesso, se vuoi, puoi chiamarmi papà –. Io rispondo di no piano, così piano che nessuno lo sente oppure fanno finta di non sentire.

È quasi ora di pranzo. Mia madre mi porta nella mia nuova stanza. È così grande che penso, perché non ho portato i pattini? Sto lì comunque e comincio a sistemare i miei vestiti nell'armadio. A tavola loro sorridono come nei film e dopo un po' dicono: – Per il nostro matrimonio abbiamo deciso di farti un regalo. Cosa desideri più di tutto? Una bicicletta? Un pallone di cuoio? –. Io ci penso e ci penso poi dico: – Voglio una grande gabbia e una coppia di uccelli.

– Oh no! Sporcano, fanno rumore! Non ne hai alcun bisogno – dice la mamma ma lui dice: – No, Rita. Le promesse sono promesse! Vuole gli uccellini? E noi glieli compriamo.

Così il pomeriggio usciamo tutti quanti insieme, raggiungiamo un negozio specializzato. Io sono abbastanza contento. Entro con l'idea di due corvi ma poi ci accordiamo su due canarini color oliva. Quello che me li aveva venduti aveva detto che erano marito e moglie così tutto il tempo io stavo davanti alla gabbia. Stavo là e aspettavo, volevo vedere se si amavano.

Gliel'ho detto, no? Fino ad allora mi ero occupato soltanto di pietre, dunque di queste cose sapevo poco. Se non avessi comprato quei due uccellini forse poi non sarebbe successo niente. Chissà? È sempre la stessa questione, quella delle due macchine.

In ogni caso, me li hanno regalati e io comincio a osservarli. Passo le ore davanti a loro e scrivo: alle undici e trenta lui salta sul posatoio di destra, lei da sotto lo guarda e resta ferma.

Alle undici e trentatré lei svolazza a sinistra e fissa in basso e via avanti in questo modo.

I film li avevo visti alla televisione. Quelli che si amano si baciano, sicuro. Ma loro no, andavano su, andavano giù, mangiavano, bevevano, sporcavano con della merda gialla, facevano cip cip e niente più.

Poi un giorno, mentre eravamo a tavola succede. Sento un rumore strano dalla gabbia che era in cucina e allora sposto la sedia e mi alzo. Vado a vedere se quel rumore era l'amore o no. Infatti era così, stavano uno vicino all'altro e si sfregavano i becchi come spade. Allora torno a tavola tranquillo, mi siedo e riprendo la forchetta in mano ma prima che le lasagne arrivino in bocca, la mamma dice: – Chi ti ha dato il permesso di alzarti?! –. Io la guardo e la guardo e non capisco. Forse che per scendere da una sedia è necessario un permesso come per guidare l'auto?

Così non dico niente e mangio.

Ma lei insiste. Dice: – Chiedi scusa al papà.

– Scusa? – rispondo – a chi? –. – Sai benissimo chi è tuo padre – mi dice ed è già un po' gialla sotto gli occhi. – Lo so e non lo so – rispondo. – Lo sai benissimo – dice e con il mento indica il marito. Così dico piano: – Non è vero – e riprendo a mangiare.

A quel punto la sua voce: – Vivi da me e io ti do da mangiare. Adesso tuo padre sono io, chiedimi scusa.

Era difficile capirci qualcosa, no? Insomma, per farla breve, la storia va avanti ancora per un po' e più va avanti più sono confuso. Tutti e due dicevano una cosa e io non sapevo cosa rispondere. Poi, ad un tratto lui si alza, dice: – Al bambino è mancata l'autorità – e prima che mi accorga sono sceso dalla sedia anch'io. Lui ha un mio braccio in mano e me lo storce fino a che per il male cado in ginocchio sul pavimento. Allora mi guarda da sopra e ripete: – Chiedi perdono? –. Osservo le sue scarpe, il fiato per il dolore comincia a mancarmi così apro la bocca ed esce una parola, proprio quella, perdono.

Quando sono di nuovo sulla sedia anche lui è sulla sua, sorride contento. Dice: – D'ora in poi si cambia vita! –. Dice così e mentre lo sta dicendo sono sicuro che non io ma un'altra persona ha detto quella parola.

Fino a quel momento non mi ero mai accorto che anziché uno eravamo in due.

Settimo colloquio

Le giornate trascorrevano così: io andavo a scuola e loro andavano insieme al lavoro. Tornavo a casa quand'erano ancora all'ospedale e fino a cena restavo solo. Nel pomeriggio, secondo i patti, avrei dovuto studiare. Ormai frequentavo la scuola media e avevo un mucchio di compiti, ma di studiare non mi andava proprio per niente. Avevo tante idee in testa, così uscivo e me ne andavo in giro fino a sera. Avevo delle mete, certo, dei percorsi che facevo più spesso degli altri. Più di tutto mi piaceva la strada del mare.

Non di rado, da una palude lì vicino giungevano le strolaghe e i tuffetti, qualche volta anche gli svassi e stavo ore e ore a guardarli. Li osservavo mentre con eleganza si immergevano tra i sacchetti di plastica e scrivevo tutto sul mio quadernetto bianco. La sera, quando loro tornavano a casa, mi facevo trovare già lì. Accendevo la lampada della scrivania, puntavo i gomiti su un libro e facevo finta di leggere. La mamma era molto contenta, vedeva la luce sotto la porta e diceva sottovoce al marito: – È ancora lì, chino sui libri –. Era contento anche lui, così contento che una sera mi ha persino toccato la testa, ha detto: – Ecco l'ometto che mette giudizio! –. Ero io a non essere contento. Per colpa dei canarini, certo. Si amavano, di questo ne avevo già avuto prova. Però ancora non si erano decisi a fare figli. Ogni mattina ancora in pigiama andavo lì e ogni mattina non c'erano i bambini. Cominciavo a essere inquieto. I canarini non hanno la barba, le tette, capisce? Potevano essere due femmine o peggio ancora due giovani maschi. Insomma più passavano i giorni più ero agitato.

Quando due si amano nascono i bambini. Me l'aveva detto la mamma appena una settimana prima. La mamma e anche lui, certo.

È successo durante una cena. Era a quell'ora che di solito stavamo tutti insieme. Insomma, mentre mangiamo la mamma si tocca la pancia, la tocca sotto il tavolo e dice: – Presto avrai un fratellino –. Dice così.

Allora io la guardo perché non capisco niente e apro la bocca, chiedo: – Perché? –. Mi risponde lui con voce bassa, dice: – Perché quando due si amano nascono i bambini.

Capisce? Dunque era giusto che anche i miei canarini facessero i bambini. Comunque no, quel fratellino non è mai nato. Un giorno la mamma si è piegata all'improvviso, ha fatto – Ah! – e subito sotto di lei c'era un lago di sangue, sembrava che si fosse rotto un rubinetto.

Andavano d'accordo, certo. Sennò perché si sarebbero sposati? Solo che lui era geloso. Pensava che se la mamma tanti anni prima era stata con un altro, poteva ancora distrarsi e andare con altri. Così qualche volta lui non tornava la sera.

Cioè, tornava ma tornava più tardi. Quando tornava eravamo già a letto ma lo sentivamo lo stesso. Faceva molto rumore, sbatteva la porta e poi tutto quello che gli capitava a tiro. Andava su e giù rabbioso come un lupo con la pancia vuota. Cercava da mangiare, insomma cercava noi, voleva divorarci. Io facevo finta di niente, la mamma non lo so.

Ripetevo i nomi dei sassi. Sa? anche se ormai mi occupavo di uccelli li ricordavo ancora tutti. Berillo, aragonite, pirite, zolfo, quarzo, quarzo rosato, fluorite, opale... andavo avanti così tutta la notte.

Serviva? Non serviva? La mattina dopo la mamma aveva perso il bambino.

Ottavo colloquio

Alla fine i bambini sono nati. Prima le uova, naturalmente e poi, dopo una settimana i pulcini, dei piccoli mostri con la carne sugli occhi e dei becchi enormi. Comunque schifo o non schifo finalmente ero sicuro che si amavano, sapevo chi era il maschio e chi la femmina. I primi giorni sono sempre stato lì, scrivevo sul mio quadernino tutto quello che succedeva. Uno dei due stava sempre seduto sul nido; mentre uno prendeva da mangiare l'altro li scaldava. Erano dei genitori affettuosi davvero. Alla fine della prima settimana sono cominciate a spuntare le piume. I piccoli a guardarli erano più carini, avevano cominciato ad aprire gli occhi, delle palle nere e grandi.

A loro no, non gliel'ho detto. Non si erano neanche accorti credo. Ci vedevamo solo a tavola la sera e perlopiù parlavano dei fatti loro. Sentivo le loro parole, le sentivo per forza ma cercavo di non ascoltarle, pensavo sempre ad altre cose. Così la mamma diceva: – Hai visto? Al trecentoventuno è venuta un'altra emorragia... – e lui: – L'ho già suturato tre volte. Ormai non c'è più niente da fare, ha le vene marce –. Oppure c'era quell'altra che il lupus le aveva smangiato la faccia, sembrava un teschio con un po' di carne sopra. Una volta era carina diceva la mamma, ho visto la foto, una bellissima ragazza... E ancora c'era uno arrivato lì con le gambe triturate da un camion e la madre che quando sapeva che il figlio era morto cercava di uccidersi davanti a tutti. Insomma, parlavano sempre di queste cose, del loro lavoro e io cercavo di non ascoltarli. Pensavo chissà se quel merlo del giardino ha già fatto il nido? Quel piccolo uccello che ho visto era o non era un fiorranccino?

Però un giorno ero proprio stufo, così ho messo giù le posate di colpo e ho urlato: – Non potreste parlare di qualcos'altro?!

Gliel'ho già detto, no? Ho sempre avuto orrore del sangue.

Allora loro stanno zitti e mi guardano. – Cos'è – dice lui – non ti piace il nostro lavoro? Oppure – continua – il piccolo ornitologo ha paura del sangue, eh? –. Io con la forchetta sto correndo dietro a un pisello nel piatto, così non guardo nessuno e non rispondo. Ma lui mica si ferma. Dice: – Sarebbe ora che ti decidessi a diventare grande. I veri uomini non hanno paura di niente. Le paure si vincono. Se non si vincono si diventa delle femminucce. Vuoi forse diventare una femminuccia, eh?

Ecco, con questa cosa era proprio fissato. Diceva sempre che non dovevo diventare un uomo debole, che non dovevo somigliare a mio padre proprio per niente, anche se ero nato storto, cioè, bastardo, lui mi avrebbe raddrizzato. Non lo faceva per me proprio, ma per amore di mia madre che si era portata dietro quel peso senza avere nessuna colpa.

Mi raddrizzava come? Come i pezzi di ferro, gli alberi. Se gli camminavo vicino, diceva: – Mi hai tagliato la strada, come ti permetti?! – e mi tirava uno schiaffo. Se mi allontanavo piano piano in corridoio, urlava: – Vuoi forse evitarmi?! Abbi coraggio! – e giù un altro schiaffo. Insomma ce la metteva tutta perché diventassi dritto.

La mamma era contenta. Almeno credo, perché guardava e non diceva niente. Sorrideva un po' come sorridono quelle statue dell'Egitto.

Ogni tanto piangevo. Non capivo niente, che cosa potevo fare? Allora la mamma mi veniva vicino, passava una mano nei capelli e diceva: – Lo sai, lo fa per il tuo bene, lui ti ama come il tuo papà non ti ha mai amato. Quando diventerai più grande vedrai, gli sarai grato.

Così io ero ancora più confuso di prima. Come facevo a essere cattivo se lui era così buono?

I canarini non facevano mai prendere freddo ai loro piccoli. Stavano sempre sopra e gli davano da mangiare ogni volta che aprivano il becco. Sì, ho scritto tutto nel quadernino, perché si capisse meglio ho fatto anche degli schizzi.

Nono colloquio

Quella cosa del sangue, già. Quel giorno, stranamente, a tavola non è successo niente, cioè mi hanno lasciato storto com'ero e hanno ripreso a parlare dell'ospedale. Non è successo niente quel giorno e neanche il giorno dopo e quello dopo ancora. Così ero ormai sicuro di averla passata liscia.

Poi una mattina ch'era domenica e la mamma aveva un turno di lavoro lui mi viene a svegliare fischiettando e dice: – Alzati, andiamo a pesca!

Pescare era la sua più grande passione, non gli piaceva pescare nel mare ch'era grande e faceva paura ma nei piccoli ruscelli di montagna. – Non c'è niente di meglio – diceva – per rilassare i nervi.

Così mi vesto, prendo il mio quadernino bianco e lo seguo. Dopo un paio di ore di auto arriviamo in una valletta isolata. Non c'è nessuno intorno e il ruscello correndo tra i sassi fa un forte rumore. Lui sta quasi sempre zitto e quando parla è gentile. Trovato il posto giusto tira fuori la sua lenza poi ne tira fuori un'altra più piccola e me la dà. Allora io dico subito che grazie no, preferivo non pescare perché ci dovevano essere tanti uccelli lì vicino, il martin pescatore, le ballerine, il merlo acquaiolo. Insomma sarei stato molto più contento di sedermi su un masso e non fare niente. Ma lui insiste, dice via, una cosa non esclude l'altra, puoi pescare e guardare gli uccelli senza nessun disturbo, anzi è ancora meglio perché devi stare più fermo. La storia va avanti per un po', lui dice pesca con me e io dico, grazie preferisco di no, poi vedo una luce nei suoi occhi che non mi piace e allora dico sì.

È lui che sistema tutte e due le lenze, attacca le mosche finte, mi indica un posto dice: – Tu stai lì – e si mette un po' più a monte. Da là mi grida: – Se senti uno strattone, gira il mulinello verso di te con forza! –. Poi sta zitto e sto zitto anch'io.

Sto proprio pensando che ha ragione, che è davvero riposante, quando all'improvviso la mia canna fa quasi un salto. La trattengo a stento e appena ferma comincio a riavvolgere il mulinello. Lui mi viene in aiuto, si mette dietro, tira con me e dopo una breve lotta vien fuori dall'acqua un'enorme trota. Lui dice: – Bravo ce l'hai fatta! – e anch'io sono contento. Sono contento, sorrido, fino a che il pesce oscillando nell'aria finisce tra noi due, tra i nostri piedi. È vivo e luccicante ma presto il terriccio gli ricopre le scaglie. Si gira veloce veloce su un fianco sull'altro come se avesse la scossa dentro. Mi guarda con un occhio, poi salta e mi guarda con l'altro. La pupilla è nera e piccola e sopra si è attaccata una pagliuzza. Così penso, mi vede ma con un tronco in mezzo... da dietro l'occhio spunta l'uncino di metallo e c'è sangue tutto intorno. Volto la testa allora e dico:

– Adesso si può anche ributtare in acqua, no? –.
Dico così e lui con una mano mi afferra il mento,
me lo torce. Risponde: – Lo sai, i pesci si pescano
per poi mangiarli –. A quel punto c'è silenzio, mi
accorgo dal canto che non lontano sta volando
una ballerina. Appena lei sparisce lui mi porge
una pietra e dice: – Uccidilo tu! –. Io sto zitto e
lascio cadere la pietra per terra. Lui la raccoglie e
me la dà un'altra volta. Per farla breve, la scena si
ripete un po' di volte. Lui dice piano: – Quanta
pazienza mi tocca avere – ma sento che di
pazienza ne ha sempre meno, infatti dopo qualche minuto mi arriva uno schiaffo così forte che
mi ribalto. Da per terra lo vedo scagliare la pietra
sulla testa del pesce, la testa si spappola con l'amo
dentro, a quel punto penso è tutto finito. Quando
sto per rialzarmi lui dalla tasca prende un coltello,
lo prende e taglia la testa. Viene verso di me con
la testa in mano, il sangue e la materia gialla gli
scivolano tra le dita, non capisco cosa vuole fare.
Comunque mi alzo ma è troppo tardi, mi ha già
preso per il collo, con la mano aperta mi spiaccica
la testa del pesce sulla faccia.

Doveva essere circa mezzogiorno. Salendo in
macchina mi ha messo una mano intorno alle
spalle, ha detto: – Ti fa ancora tanta paura il
sangue? – e mi ha stretto a sé come se fossimo
stati due compagni di scuola.

Non ho potuto lavarmi il viso fino a che non
siamo arrivati quasi in città. Soltanto alla periferia
ha fermato la macchina davanti a una fontanella e
ha detto: – Scendi e sciacquati svelto.

Ho fatto molta fatica a levarlo perché ormai la
pelle se l'era quasi bevuto, era entrato in profon-
dità, fino al cervello.

Alla mamma non ho raccontato nulla e anche lui è stato zitto. Ha solo detto: – Hai visto che pesce?! Non sembra vero ma l'ha preso proprio tuo figlio! – e si è messo a ridere.

L'abbiamo mangiato la sera stessa, bollito con le patate e la maionese.

Sì, anch'io l'ho mangiato insieme a loro senza dire niente. Solo più tardi mi sono chiuso nel bagno e ho messo un dito in gola più profondo che potevo.

Decimo colloquio

Ripensandoci adesso posso dire che quella domenica è stata un po' come un battesimo, uno spartiacque. Non saprei definire cos'è successo di preciso ma credo che si sia modificato il tempo. Tutto ha cominciato a muoversi più svelto. In qualche modo che non mi è chiaro qualcosa ha cominciato a sfuggirmi di mano.

L'odore del sangue, innanzitutto. Anche se mi ero lavato mi era rimasto addosso. Quella notte non sono riuscito a dormire. Lo sentivo sempre lì intorno alla bocca, intorno agli occhi. Affondavo il viso nel cuscino e avevo l'impressione che ne fosse impregnato. Voltavo il viso in alto e con la lingua, umido e dolce, lo sentivo in fondo alle labbra. Provavo orrore, schifo ma anche qualcos'altro. Un po' come quando arriva il vento e si dice: questo vento preannuncia qualcosa. Oppure si ascolta un tema musicale e già dalle prime note si capisce se si sarà tristi o felici.

Insomma, può capitare questo nella vita. È capitato a me ma può capitare a chiunque. All'improvviso, per un fatto minimo, si viene risucchiati in qualcos'altro, si devia, si va per una strada che non si era mai vista prima.

Non so se sono stato chiaro, se mi capisce. Neanch'io quella volta lo sapevo. Lo so adesso, ripensandoci, facendo correre tutti gli avvenimenti da dietro in avanti. Battesimo? No, piuttosto unzione, qualcosa di simile all'odor di carogna per le iene.

Insomma, per stare ai fatti, la mattina dopo a quella domenica anche se non avevo dormito niente, mi alzo per andare a scuola e prima di vestirmi vado a vedere come sta la mia famiglia di canarini. Sulle prime non riesco a credere che sia vero. Guardo e riguardo e guardando mi dico, sto ancora sognando. Poi dietro di me passa la mamma e mi tocca e allora capisco che sono sveglio e quei corpi straziati sul fondo della gabbia sono proprio i miei pulcini. Uno sta a destra, gli altri due a sinistra vicino all'abbeveratoio. Tutti hanno uno squarcio sulla gola e sul ventre, tra le piccole piume si vedono bene gli organi interni. Non sono morti nel nido ma lontano, eppure non sapevano ancora volare. I genitori fanno finta di niente, saltellano da un posatoio all'altro cinguettando. Com'è possibile, mi chiedo, com'è possibile? E sto lì davanti senza riuscire a muovere né un piede né un dito della mano. Sono sempre davanti alla gabbia in pigiama e scalzo quando lui con già il cappotto indosso mi si ferma accanto, si ferma guarda tra le sbarre e dice: – To', sono morti!

Quel giorno non sono andato a scuola. Ho detto che andavo e invece non ci sono andato. Con un autobus ho raggiunto il mare, ho camminato in su e in giù sul bagnasciuga fino all'ora di pranzo. Ero lì, ma non ero in nessun posto. Per la prima volta, chiara chiara, ho avuto l'impressione di essere di legno. Di legno o di pietra, poco importa; insomma di qualcosa che se si tocca non sente. Sì, avrei potuto darmi fuoco a un braccio e mentre le fiamme ardevano restare indifferente. Solo in fondo in fondo c'era una piccola parte viva. Una specie di brace mai spenta, qualcosa che stava lì e pensava. Pensava senza che io mi accorgessi che stava pensando.

Come tutti i giorni ho pranzato da solo. Finito di mangiare non sapevo cosa fare, sono andato a dormire. Mi sono svegliato di colpo, urlando, pressapoco all'ora del tramonto. Sognavo questo: stavo camminando come avevo camminato quel giorno e all'improvviso, senza nessun segnale, prendevo fuoco. L'incendio divampava da dentro. Saltavo in acqua ma non riuscivo a spegnerlo così urlavo con quanto fiato avevo in corpo. Gridavo non solo nel sogno ma davvero. Così, con quel grido nella stanza mi sono svegliato.

Sono rimasto seduto alla scrivania fino all'ora di cena. Da lì mi sono alzato una volta soltanto per andare in cucina. Sono passato davanti alla gabbia, ho fatto finta di non vederla. Sentivo l'odore del sangue, avevo paura di rimuovere i corpi. Poi, come ogni sera, loro sono tornati con la macchina. L'hanno parcheggiata in giardino e sono saliti.

A tavola, bevendo del vino, lui ha detto: – Spero che tu abbia buttato via quei cadaverini –. Io non ho detto né sì né no, sono rimasto zitto. Allora lui si è alzato ed è andato a controllare. È rientrato in cucina dicendo: – Cosa aspetti eh? Che li mangino i vermi? –. Io sono rimasto fermo, lui mi ha afferrato per un braccio e ha cercato di alzarmi, mi sono aggrappato con le dita alla tovaglia, con i piedi ho agganciato le gambe del tavolo. Lui tirava e io non cedevo. Gli si stavano gonfiando le vene del collo. La mamma intanto aveva servito la minestra, ondeggiava con pezzettini verdi nel piatto lì davanti.

Ormai eravamo arrivati a questo, lui gridava: – Toglili! – e io gridavo – No! –. Tutto deve essere durato un paio di minuti. Poi io mi sono alzato di scatto, l'ho colto di sorpresa. Ho urlato: – Toglili tu, assassino! – e gli ho tirato il piatto con la minestra in faccia.

Dopo? Dopo non ricordo bene. La mamma gridava – Sei pazzo! – e lui mi spinge la testa dentro e fuori da un catino con l'acqua. Nella mia stanza, chiude la porta. Ho in mente questo, il rumore della chiave. Sono per terra e mi arrivano calci e pugni da tutte le parti. Per un po' mi difendo, poi mi stanco, è inutile e faccio finta di niente.

Più tardi sono nel mio letto, cioè sotto il letto. Devo essere finito là come in una tana. Sento l'odore del sangue, sporgo la lingua, è il mio naso che sanguina. Sangue da tutte le parti. Gliel'ho detto: battesimo o spartiacque.

Il giorno dopo sono finito in collegio.

Undicesimo colloquio

Naturalmente mi era toccato parlare con uno psicologo. Vede, anche nel suo campo ho già una certa esperienza. A dire il vero io non parlavo proprio, era lui che cercava di farmi parlare. Poi, dato che mi ostinavo a stare zitto, mi ha dato da fare dei disegnetti. Io li ho fatti alla meno peggio e poi sono andato in collegio. Forse se avessi parlato o se avessi fatto i disegni con più attenzione non ci sarei finito, ma comunque è andata così e il giorno stesso sono partito. Ero contento? Non lo so, non ci pensavo molto a questa cosa. Probabilmente sì, ero abbastanza felice di essermi liberato di loro. L'unica cosa che mi preoccupava era interrompere i miei studi. Fin dalla domenica del pesce non avevo più scritto niente nel mio quadernetto, non mi ero occupato di raccogliere sassi né di seguire i movimenti degli uccelli. Nella fretta della partenza, poi, mi ero scordato a casa tutti i miei appunti.

Il collegio era un grande edificio giallino con i vetri opachi. Sorgeva in mezzo alla campagna. Quando sono arrivato l'anno scolastico era già iniziato da un pezzo e i ragazzi si conoscevano tutti. Il primo giorno mi ha ricevuto il padre rettore, un prete con i capelli già tutti bianchi e le mani bagnate che sembravano appena tolte dall'acqua. Lì nel suo studio mi racconta tutta una storia di pecorelle che andavano di qua e di là senza nessun controllo e di quanto fosse bello invece stare tutti uniti nel gregge e saggio l'uso del bastone. Io capisco poco o niente e solo più tardi mi accorgo di avere una febbre fortissima. Così i ragazzi non li vedo ancora. Finisco in infermeria e ci resto un bel po' di giorni.

Lì oltre a me non c'è nessun altro. Passo i giorni rannicchiato tra le coperte e guardo il muro di fronte. Un po' cerco di concentrarmi sulle mie classificazioni, ripeto quello che mi ricordo per non perdere l'abitudine ma ho molto freddo e non ci riesco. Comincio a confondere tra loro i nomi e le forme.

Appena guarito raggiungo la mia camerata e la mia classe. Ci sono tante regole lì. Io ancora non le so e così sbaglio sempre e sono sempre punito. Se avessi potuto parlare con qualche compagno probabilmente sarebbe andato un po' meglio ma era vietato parlare tra noi ragazzi. Si poteva parlare soltanto in un'ora stabilita e sotto il controllo dell'educatore capo.

Chiaro perché, no? Avevano paura che nascesse una simpatia e dalla simpatia dritta dritta quella cosa. Io ancora non sapevo che esistessero queste cose, che si poteva andare così, uno dentro l'altro anche se si era due maschi. Naturalmente quelle cose succedevano lo stesso. C'era sempre un momento possibile di notte o nei gabinetti. Mi piaceva? Non mi piaceva? Non lo so, non me lo sono mai chiesto.

La prima volta mi ha fatto solo male. Ero anche un po' meravigliato ma poi è diventata un'abitudine. Anzi, dato che era vietato, tutto il giorno non si pensava ad altro. Per i primi mesi me l'hanno fatto poi ho cominciato a farlo anch'io agli altri.

Ecco, se penso a delle parole per definire quel periodo, me ne vengono in mente due: freddo e penombra. Freddo perché le stanze e i corridoi erano grandi e disadorni, penombra perché non c'era mai il sole e neanche una luce un po' forte. Quella cosa alla fine era una cosa innocente. Si faceva per scaldarsi, per sentire un po' di tepore dentro.

Soltanto a primavera inoltrata mi resi conto che il gelo non era legato alla temperatura dell'aria. Era la pelle a essere diventata fredda e sotto la pelle la carne. Ogni tanto mi fermavo e ascoltavo, a tratti avevo l'impressione che anche il cuore si fosse trasformato in un ghiacciolo, che stesse lì sospeso nella cassa toracica come un quarto di manzo in una cella frigorifera.

No, non erano mai venuti a trovarmi, non mi avevano neanche mandato i ricambi. Solo una volta dopo un paio di mesi mi era arrivata una cartolina. Dietro c'era scritto «Spero che ti comporti bene» e sotto la firma: Rita.

Comunque un giorno, poco prima della fine dell'anno scolastico, succede quella cosa, cioè ci scoprono. Stavo con uno più piccolo e, a dire il vero, non facevamo niente di male. Insomma uno con l'altro ce lo tenevamo solo in mano. In ogni caso, appena il prete apre la porta e la luce ci investe, subito il piccolo si mette a piangere e a urlare che era innocente, che ero io che l'avevo costretto a farlo. Ci trascinano insieme in una stanza per il collo. Lì dopo un po' arriva il padre superiore, ha una riga in mano e subito all'altro fa mettere le mani sul tavolo e le colpisce e le colpisce finché ci sono solo strisce di sangue. Ogni tanto si interrompe e controlla se guardo. Poi l'accompagna alla porta e prima di farlo uscire gli dice – Per tutto questo devi ringraziare il tuo amico –. Restiamo soli. Penso adesso tocca a me e già mi preparo, invece non succede niente. Lui mi viene vicino, mi passa un braccio sulle spalle e dice – Mi dispiace ma a te ti devo rinchiudere –. Così penso: poco male. Quando mi mette in una stanza buia e chiude la porta a chiave sono quasi felice e tiro un sospiro.

È strano ma per la prima volta da quando sono lì non sento più freddo. Mi vengono in mente le mani del bambino, il sangue che vi cola attraverso e mi nasce come un tepore dentro. Dunque non siamo proprio tutti di ferro o di legno. Là sotto, là dentro scorre ancora qualcosa di caldo e di vivo.

Dopo un po', dato che non so cosa fare, mi metto a dormire. Mi sveglio non so quanto dopo con il rumore della chiave nella porta. Non faccio in tempo ad alzarmi che subito qualcuno mi piomba alle spalle, mi si distende sopra.

Intravedo che sul volto ha una maschera, una maschera spaventosa e infatti lui subito dice – Stai fermo, non muoverti che sono il diavolo –. Comunque appena le sue mani mi toccano capisco che il diavolo non è proprio, sono umide e scivolose come quelle del padre superiore.

Inutile che racconto, no? L'ha già capito?

Posso solo dire questo, da quel momento in poi dentro di me è tornato il gelo e ci è rimasto per sempre.

Alcuni giorni dopo che mi hanno liberato dalla stanza durante una passeggiata sono scappato.

Per raggiungere la mia città ho impiegato due giorni. Un po' andavo a piedi, un po' fermavo le auto. Per la strada, piano piano mi ero convinto di una cosa: che la mamma sapeva tutto ed era contenta che tornavo. Tutto sarebbe andato come sempre: sarebbe dovuto andare che mi volevano bene e basta, vivevamo così.

Quando ho suonato alla porta senza quasi accorgermi ho sorriso. La macchina di lui non c'era, ero più tranquillo per questo. Ho continuato a sorridere su per le scale e anche quando sono entrato in cucina. Lei stava ai fornelli, si è girata al rumore dei passi. Pensavo che aprisse la braccia. Ho detto: – Mamma, sono qui!

Lei ha detto: – Lo vedo – e ha ripreso a cucinare.

Dodicesimo colloquio

Vuol sapere cos'è successo dopo? È successo che sono ritornato in collegio. Sì, hanno fatto un po' di storie per riprendermi. Non volevano, dicevano che quando si scappa non si torna indietro. La mamma ha insistito e insistito e alla fine hanno ceduto. Sono ripartito due giorni dopo.

Quelle giornate passate in famiglia sono state un po' strane. Non mi hanno sgridato né detto niente: c'ero ma era come se non ci fossi. Non erano contenti né arrabbiati, per loro non esistevo e basta. Una mattina mentre me ne stavo in stanza senza sapere bene cosa fare è entrata la mamma e ha detto: – Siediti, ti devo parlare –. Io mi sono seduto sul letto ma intanto mi è venuto un gran freddo così ho cominciato a tremare. Tremavo e sbattevo i denti. Avrei voluto dirle quello che era successo ma non avevo coraggio. Pensavo che non mi avrebbe creduto, la mamma avrebbe detto: – Bugiardo come sei, ti sei inventato tutto.

Comunque mi siedo lì e tremo e la mamma dice: – Lo fai apposta, con questo caldo è impossibile avere freddo –. Allora io cerco di fermarmi, cerco ma non ci riesco. Così per mostrare la buona volontà vado all'armadio prendo due maglioni e me li infilo sopra. A quel punto lei fa un sospiro. Sospira e dice: – Non sai quant'è difficile essere genitori – poi si sfiora la pancia, la guarda e aggiunge: – C'è una novità, una grossa novità. Presto avrai un fratellino.

La osservo piano piano. A dire il vero non si vede ancora niente. Quando riprende a parlare sono già lontano – non io ma quello di legno, è lì di fronte che la sta ad ascoltare – sento come un'eco in una valle di montagna... che lei è stanca, ha tanti impegni, anche il papà è stanco, s'ammazza di lavoro tutto il giorno, sta per arrivare quel nuovo bambino così è meglio per tutti se buono buono me ne torno in collegio.

Io allora non dico niente. Penso, questa è una storia in cui sono finito per sbaglio e riprendo a tremare come una foglia che quasi si stacca dall'albero.

Certo, ho visto anche lui in quei giorni, abbiamo mangiato insieme un paio di volte. La prima volta ha fatto finta di niente, si voltava dalla mia parte e il suo sguardo scivolava oltre. La seconda, appena seduto mi è venuto un forte singhiozzo. Anche se tenevo la bocca chiusa si sentiva lo stesso. Così dopo un po' lui si gira e dice: – Adesso potresti anche smettere – e appena lo dice il singhiozzo diventa più forte. C'è silenzio intorno e non si sente altro che quel rumore nella stanza. Allora lui scaraventa le posate nel piatto, viene verso di me, io divento piccolo piccolo, più o meno cerco di sparire ma prima che arrivi si alza anche la mamma, lo sfiora e dice: – Per piacere, no –. Lui si ferma un istante poi si gira ed esce di casa sbattendo la porta.

Non ho più visto la mamma. Non è venuta quella sera a salutarmi in stanza e la mattina dopo quando sono uscito per partire mi sono voltato per guardare la finestra ma lei non c'era dietro. Dato che viaggiavo da solo avrei potuto anche fuggire. A dire il vero ci ho pensato appena sono arrivato davanti al treno ma non avevo neanche una lira in tasca. E poi, cosa mi sarebbe successo? Almeno per una volta volevo provare a essere buono.

Se nasceva un fratellino loro si amavano, chiaro. Sì, speravo che quell'amore come una macchia d'olio si sarebbe allargato. Sarebbe diventato grande grande, così grande che prima o poi anch'io vi sarei scivolato dentro.

Insomma, per non rovinare tutto mi conveniva aspettare.

Appena sono tornato lì mi hanno punito. Non sono potuto uscire per tre mesi interi. È venuta l'estate e siamo rimasti solo in dieci. Intanto a scuola ero stato rimandato, avevo molto da studiare e non avevo tempo per pensare ad altro. Stavo sempre chino sui libri, le ore libere le dedicavo alla classificazione. Sì, in quel periodo mi era venuta l'idea che non tutto era perduto, che se mi applicavo e mi applicavo sarei riuscito ancora a diventare un grande scienziato.

Il padre superiore? L'ho incontrato faccia a faccia solo un paio di volte in corridoio. Avrei potuto dargli un pugno, gridargli che sapevo chi era davvero. Invece, quando lui con la mano mi ha preso il mento, sono solo diventato rosso e ho abbassato gli occhi.

È tornato l'autunno, ho superato brillantemente gli esami. Nessuno si è ricordato di mandarmi un pacco con i vestiti più caldi. Nella punizione c'era anche questo, che non avrei telefonato a casa prima del giorno di Natale.

In quei mesi il freddo è sceso giù giù e ha cominciato a mangiarmi le ossa. Quando camminavo per le stanze durante il giorno avevo l'impressione di sentire il rumore dei femori, quello delle clavicole. Lo so che può sembrare impossibile, ma è così. Erano di ghiaccio e sbattevano tra la carne gelata. Ha mai tirato fuori un pesce dal freezer? Se lo butta sul tavolo fa il rumore di un sasso. Così io in quei mesi. Attendevo con ansia la notte, il tepore delle coperte. Ma era un'attesa inutile perché una volta sotto avevo più freddo ancora. Vicino a me c'era uno piccolo che piangeva sempre. Per non sentirlo pensavo ad altro, al cuore molle e caldo della terra. Scendevo con l'immaginazione, strato dopo strato fino ad arrivare là, in quel caldo infernale. Era una massa di fuoco fluttuante, quando la terra ruotava ondeggiava di qua e di là con spaventosi gorghi.

Quell'immagine, qualche volta proseguiva nei sogni. Allora la massa, anziché muoversi nel suo spazio con moto regolare, invece di starsene lì come un nocciolo nel mezzo del frutto, cominciava a sbattere con furia da tutte le parti, sbatteva e sbatteva fino a che trovava qualcosa, una fessura, una faglia e gorgogliando saliva in alto. Saliva e saliva, i mari e i laghi diventavano fuoco liquido e da tutti i rubinetti della terra uscivano fortissimi il magma e i lapilli. Poi, chissà perché, succedeva anche alle persone. Non era il cuore della terra a esplodere ma il loro cuore proprio, quello in mezzo alla cassa toracica e il sangue usciva a fiotti dagli occhi, dalla bocca, usciva con lunghe strisce dalla punta delle dita.

Mi svegliavo sempre a quel punto e appena ero sveglio avevo freddo un'altra volta. Intanto il piccolo vicino era riuscito ad addormentarsi non si sentiva più il suo pianto, c'era soltanto un grande silenzio intorno.

Poco prima di Natale, durante la refezione mi è arrivato un telegramma. L'ho aperto da solo, in gabinetto. C'era scritto: «Ti è nato un fratellino, si chiama Benvenuto».

Tredicesimo colloquio

Dov'eravamo rimasti? A quando lui è nato? Ecco, sì, non ho provato nessuna emozione a leggere quel messaggio. Come potevo? Non ho mai visto la pancia e neanche loro che si volevano bene. Ho pensato solo questo, speriamo che abbia più la mia faccia che quella del padre, che sia abbastanza simpatico.

Per il resto tutto andava tranquillo avanti. Non ho molto da dire di quel periodo. La mattina frequentavo le lezioni, il pomeriggio studiavo. Una volta alla settimana uscivamo tutti insieme a fare una passeggiata nei campi vicino all'edificio. Era stata organizzata una squadra di calcio e io mi ero rifiutato di parteciparvi. Non mi piaceva muovermi proprio per niente, preferivo stare in classe o in biblioteca a studiare. Sapevo che mi mancavano ancora cinque anni per diventare grande, e così, insomma, ce la mettevo tutta per arrivarci. Non parlavo più con nessuno. Rispondevo solo a scuola, alle domande. Perché? Non so, non mi andava, non avevo niente da dire.

Con il passare dei mesi avevo cominciato ad

avere quell'impressione, non ero più di legno ma ero un frutto che stava seccando. Credo per questo, fuori dalla finestra della classe c'era un albero di cachi. Lo vedevo tutto intero nelle giornate di sole, solo i frutti nelle giornate di nebbia. Prima c'era il tronco con i rami le foglie e i frutti tondi e lisci, arancio chiaro. Poi, piano piano, le foglie se ne sono andate. Da verdi sono diventate ruggine. Ruggine al suolo. Sono rimasti i frutti di un colore sempre più intenso.

Ogni mattina guardavo fuori e dicevo, ecco oggi sono caduti, sono lì per terra spiaccicati in mezzo alle foglie. Invece ogni mattina erano al loro posto, stavano lassù sempre più piccoli, sempre più rossi. Si stavano rattrappendo, così io dentro. Una voce mi diceva che dovevo andare avanti, un'altra mi diceva che di andare avanti non avevo nessuna voglia.

Comunque, intanto, da casa non era arrivato il pacco con i vestiti dell'inverno. Né il pacco né nessuna altra notizia e io stavo morendo di freddo. Così un giorno, quand'era, febbraio? prendo il coraggio a due mani e decido di telefonare. Sì, ormai mi era permesso. Anzi l'avrei potuto fare già da due mesi. Perché non l'avevo fatto? Così, non ci pensavo e basta. In ogni caso, alla fine mi decido, chiedo i gettoni e aspetto l'ora giusta, l'ora in cui sono quasi certo che lui non è a casa. Sto lì, nel gabbiotto e mentre il ricevitore fa tuu tuu un sudore gelato mi scende dal collo giù nella schiena, la ricopre tutta. Aspetto e aspetto e quando quasi sono certo di chiudere risponde una voce. Non so perché ma è lui. Invece di essere all'ospedale sta a casa. Insomma trovo la forza di dire chi ero, il mio nome. Chissà perché lo dico, forse ho paura dal solo tono di non essere riconosciuto. Dico sono io e lui risponde: – Vuoi la mamma? – e io dico naturalmente: – Sì –. C'è un po' di silenzio ed è di nuovo la sua voce. Dice, la mamma non viene sta dando il latte al nostro bambino; fai così, quando puoi richiama e senza dire altro interrompe la comunicazione. Io resto lì per un po' con il telefono in mano. Anche a questo non ci avevo pensato, che gli dava il latte. Invece di sentire caldo sento ancora più freddo.

Proprio quel giorno alcuni cachi cominciano a cadere, si staccano. Se dal banco mi sollevo un poco li vedo sparsi sotto il tronco, allargati tra la terra e le foglie come macchie di sangue.

Tra una cosa e l'altra era arrivato carnevale. L'ultimo giorno, insomma, quello prima della penitenza.

Quel giorno al collegio c'è una piccola festa e quel giorno, cioè quella notte, succede qualcosa. L'abbiamo saputo appena la mattina dopo. È stato il giardiniere a scoprirlo un po' prima delle sette. Era uno un po' più piccolo di me, un paio di volte mi aveva chiesto di aiutarlo nei compiti. Durante la festa era stato tra i più allegri, rideva con tutti, saltava di qua e di là.

Non ho visto il corpo. Solo più tardi nel cortile ho scorto sull'asfalto il colore rosso, la chiazza delle viscere. Non ci facevano avvicinare, certo; avevano paura che tra di noi ci fosse qualche pescecane, qualcuno che vedeva del sangue e ne voleva altro. Comunque, appena ho visto quella chiazza, ho capito che non era questione di uno sbaglio o un inciampo. Non era caduto ma aveva spiccato un salto. Era sceso giù come i cachi quando sono stufi di stare sull'albero.

La notte dopo mi sono toccato le gambe, le braccia, la pancia. A che punto ero? Fuori ero secco, appassito, la linfa non circolava quasi più per niente: avrei potuto mettere dentro un ago lunghissimo e restare indifferente. Solo in qualche luogo lontano, lontanissimo, qualcosa si muoveva ancora. Non so che movimento era, forse quello di una sostanza che da sana diventava marcia. Ho preso paura, certo.

Allora è venuta una voce. Che voce? Sempre quella, quella che parla quando io sono lontano. Quella voce mi ha detto di andarmene di mettermi in salvo che non ero nato per finire come un caco. Che cosa pensavo? Non so, ricordo questo: davanti agli occhi vedevo tutte le figure degli esploratori, quelli che partivano e non sapevano dove andavano e poi diventavano famosi. Volevo imbarcarmi? Forse.

Quando si ha una cosa in testa e si pensa solo a quella alla fine si riesce a farla. Così io con la fuga. È bastato un attimo di distrazione durante una passeggiata perché sparissi in un cespuglio e da lì poi nei campi a gambe levate.

Non sono mai arrivato al mare. Per tre giorni me ne sono andato un po' di qua un po' di là, nei boschi intorno. Poi avevo fame, freddo. Ho raggiunto una stazione, mi sono sistemato nella sala d'aspetto. Mentre stavo dormendo lì dritto disteso su una panchina un signore mi tocca la spalla e dice: – Ce l'hai il biglietto? –. Certo, era della polizia. Sennò perché mai l'avrebbe chiesto?

Quattordicesimo colloquio

Al contrario di quanto credevo non mi è successo niente di male. Dalla sala d'aspetto mi hanno portato in ufficio. Ho aspettato quasi un'ora poi è venuta una signora e mi ha fatto tante domande. Per un momento ho pensato di dire tutto falso. L'ho guardata in faccia, ho capito che era inutile, con un paio di telefonate comunque sarebbero riusciti a sapere tutto. Così le ho detto che me ne ero andato perché ero stufo di stare in quel posto. Avevo una famiglia, un fratellino che non avevo mai visto, volevo stare con loro. La donna non dice niente, scrive e scrive. Quando non le è chiara la risposta la ripete due volte, la formula in modo diverso.

Poi dice va bene così. Mi fa firmare un foglio, mi porta in una stanza e sparisce senza aggiungere altro.

A quel punto io pensavo una cosa sola. Pensavo cosa mi avrebbero fatto: se mi toccava finire in prigione o in qualche posto del genere insomma non avevo la minima idea e neanche riuscivo a farmela. Così aspetto e ho freddo. Ho freddo e anche fame. Per fortuna viene un poliziotto e mi chiede se voglio mangiare qualcosa. Io dico sì, un panino, con cosa dentro non importa. Aspetto e aspetto e il sole va via, viene la sera. Ormai avevo pensato tutto o quasi, che non c'era una prigione abbastanza severa, che avevano telefonato a casa e lui aveva risposto tenetevelo pure, non lo vogliamo indietro – aveva risposto così come le cose che si comprano e non funzionano. Oppure, ancora, che non avevano creduto neppure a una delle mie parole e ora stavano indagando foto dopo foto, schedario dopo schedario.

A un certo punto mi è venuta una specie di stanchezza. Anche se pensavo e pensavo non succedeva niente. Così ho chiuso gli occhi, ho posato la testa all'indietro, contro il muro. Mi ha svegliato il rumore della porta. È entrata la donna di prima e dietro a lei mia madre. Prima quasi che me ne rendessi conto mi è piombata addosso, mi ha stretto tra le braccia. Lì in mezzo ho sentito l'odore che sentivo quando dormivamo insieme. Qualcuno parlava, era lei. Diceva: – Da quando l'abbiamo saputo dal collegio siamo stati tanto in pena! Tesoro mio, stai bene? –. Diceva questo e mi passava una mano tra i capelli sul viso sugli occhi, mi toccava come se fossi già morto o non mi avesse mai visto.

Dopo siamo andati in un'altra stanza. Anche lei ha dovuto firmare delle carte. Appena ha finito ha stretto la mano a tutti. Continuava a dire: – Grazie, grazie! Non saprò mai come ringraziarvi.

Sono stati gentili, gliel'ho detto. La donna che mi ha interrogato ci ha persino accompagnati all'ingresso, è rimasta lì a salutarci con la mano mentre scendevamo le scale.

All'angolo c'era una macchina ad attenderci. C'era lui dentro, e con lui il mio fratellino. Sono salito che non sapevo cosa dire, avevo anche un po' di paura. Così appena ho visto quel fagotto, ho detto: – Uhuh, come va la vita?! –. Il piccolo stava dormendo. Forse ha avuto paura, forse non gli piaceva la mia faccia. Subito ha aperto gli occhi, si è messo a urlare come un matto.

La mamma allora lo ha preso in braccio ma non riusciva a calmarlo. Lui guidava con la mano sempre sul cambio, accelerando troppo, frenando troppo poco, con le labbra strette. Eravamo distanti due ore da casa, abbiamo fatto tutta la strada in quel modo. Anche quando il bambino si è riaddormentato, né la mamma né suo marito hanno aperto bocca. Avrei voluto aprirla io, avrei voluto dire che il piccolo era carino oppure che ero contento di stare lì con loro, che sarei stato buono per sempre. Volevo dirlo ma non l'ho detto la lingua è rimasta ferma. Sembrava finta, di legno o di vetro.

Mi veniva in mente un cartone animato: c'era una bomba nera lucida e tonda con una lunga miccia; la miccia era accesa e tutti se ne erano accorti, nessuno voleva tenerla, correvano di qua e di là lanciandola da una mano all'altra così quando esplodeva erano ancora tutti intorno.

Che cos'era vero? L'abbraccio della mamma nell'ufficio o il silenzio nell'auto? Cos'era vero e cosa no? Me lo chiedevo e non riuscivo a rispondermi.

A casa qualcosa era cambiato. La mia stanza

era diventata la stanza del fratellino. C'era un letto piccolo piccolo di legno bianco con un orsacchiotto dentro e una luce che suonava e si muoveva allo stesso tempo.

– Puoi dormire in cucina – ha detto la mamma – da qualche parte ci deve essere ancora la vecchia branda del campeggio – e senza dire altro né guardarmi negli occhi si è messa a cercarla.

Quindicesimo colloquio

Finalmente ero di nuovo a casa. Non era proprio il posto dove volevo andare, comunque ero là. Pensavo a quel punto che tutto sarebbe andato per il meglio, in che altro modo poteva andare? Ecco, mi ero scordato della storia delle due auto.

Insomma quella notte la trascorro sulla branda da campeggio. Dormo un sonno profondo, il sonno di un animale che è scappato per tanto tempo. Quando mi sveglio loro due sono in cucina, stanno facendo colazione. Tengo gli occhi chiusi, fingo di essere ancora addormentato fino a che loro non sono usciti. Poi mi alzo, mi infilo i vestiti piano piano. Mi pare impossibile che non ci sia un campanello come in collegio che mi fa fare tutto di corsa. Mangio qualcosa dal frigo e poi comincio a girare di qua e di là per la casa. Apro gli armadi, i cassetti, curioso dappertutto. Naturalmente di qua e di là cercavo le mie cose, i miei vestiti caldi, la collezione di sassi, la coppia di canarini verde oliva. Cerco e cerco ma non trovo niente. O meglio sì, dopo circa due ore in cantina trovo la mia gabbia di canarini; i canarini non ci sono più, al loro posto c'è un grandissimo ragno che ha fatto la tela tra una sbarra e l'altra.

A pranzo loro non tornano. Il bambino è al nido. Così resto solo fino a sera.

La prima ad arrivare è mia madre. Sale le scale con il bambino in braccio, io sorrido e le vado incontro. Sorrido anche quando lei lo distende sul tavolo e gli cambia i pannolini. Il bambino si guarda intorno. Nel momento in cui credo che i suoi occhi guardino me, il mio viso, sorrido ancora di più. Anzi, quasi rido. A quel punto succede una cosa che mai mi aspettavo che succedesse, insomma mi sorride anche lui. Mentre lui mi sorride e io gli rispondo, suona la porta e la mamma va aprire. Allora mi chino su di lui e lo prendo in braccio, è tenero, leggero leggero e continua a ridere. Così vicino lo guardo con calma e mi accorgo che sì, mi assomiglia, ha la mia bocca e i miei occhi e non quelli del padre.

Stiamo ancora lì, ridendo insieme, quando loro due entrano in stanza. La mamma mi guarda e non dice niente. Lui mi vede, urla – Lascialo – e me lo strappa. Il piccolo si mette subito a urlare: è tutto rosso in faccia e urla. Io non so cosa fare. Sto lì con le mani in tasca, forse sono rosso anch'io, mi vergogno e non so di cosa. Poi esco e vado in cantina. Laggiù aspetto che arrivi l'ora di cena.

Ho un orologio, certo. L'ho ricevuto tanti anni prima per la comunione. Lo guardo e quando le lancette si fermano sulle otto, salgo in cucina. Loro stanno già mangiando, sembra che neanche si accorgano che sono entrato. Mi avvicino al tavolo, raggiungo il mio posto e vedo che non c'è né il piatto né il bicchiere, neppure le posate, niente, solo la tovaglia candida.

Cosa faccio? Sto lì come un palo, osservo i loro piatti, il mio posto vuoto. Sto lì per un po', poi dico: – E io? –. Dico così e nessuno mi risponde, continuano a mangiare tranquilli tranquilli, in silenzio, con gli occhi nel piatto. Aspetto ancora un po'. Quando mia madre serve il secondo me ne vado. Scendo in strada, da sotto in su guardo le finestre illuminate. Appena si spengono mi muovo e vado un po' in giro. Non ho le chiavi. Più tardi, per rientrare, sono costretto a suonare. Mi apre mia madre, è in camicia da notte e vestaglia. Appena ho salito le scale, mi dice: – Forse ti sarai chiesto perché non c'è il tuo posto a tavola... –. Per dire di sì muovo solo la testa. Allora lei dice: – Vedi tu dovevi restare in collegio almeno fino a giugno. Dato che hai fatto quella sciocchezza, te ne sei andato senza chiederci il permesso, dobbiamo per forza tenerti a casa. Sei qui ma per noi è come se non ci fossi, facciamo finta che sei ancora in collegio. Non possiamo fare altrimenti, i patti erano questi. Sei stato tu con le tue stesse mani a romperli. È per il tuo bene, capisci.

Penso che scherzi, chiaro. Come poteva essere vera una cosa del genere? Così annuisco, la saluto, raggiungo la branda e mi addormento.

Solo nei giorni seguenti mi rendo conto che è proprio vero. Nessuno mi dice buongiorno o buonanotte, nessuno mi parla. Il mio posto a tavola è sempre vuoto. Cosa faccio? Sto lì il meno possibile. Vado in giro per le strade tutto il giorno, torno a casa a dormire, a mangiare qualcosa dal frigo. Dove vado? Non ricordo, mi muovo per le strade come un robot, uno spaventapasseri. Un paio di volte, all'improvviso, mi viene l'idea di gettarmi sotto un autobus. Lo penso ma le gambe non mi rispondono, così resto fermo. Qualche volta, all'ora di pranzo, vado fuori dalle scuole. Sto lì con le braccia incrociate e guardo i bambini uscire come se fossi un genitore. Quando vedo qualcuno uscire di corsa e abbracciare la mamma o il papà qualcosa in me a un tratto si muove, sento una fiammata nello stomaco. Dallo stomaco sale agli occhi, vedo rosso, mi sembra che il cuore molle e caldo della terra sia dentro di me, che sia esploso. Erano quelli i momenti in cui per un istante ero sicuro di non essere già morto.

Sì, gliel'ho detto, per mangiare aprivo il frigo quando loro erano fuori o dormivano. Mangiavo quello che capitava senza farci troppo caso. Non sapevo che era vietato. Come facevo a saperlo dato che nessuno mi parlava? Comunque una notte prima di dormire avevo preso delle aringhe col burro. A dire il vero non mi importava molto di nutrirmi. Anzi non me ne importava proprio per niente ma si sa, l'istinto è l'ultimo a morire, io già quasi non esistevo ma lui esisteva ancora. Insomma mangio controvoglia quelle aringhe e mi distendo sulla branda.

Quella sera lui torna tardi. Torna e subito apre il frigo. Sta un istante con la porta aperta, poi grida: – Chi ha mangiato le mie aringhe?! – e comincia a urlare. Con la testa sotto le coperte sento che va di là, da mia madre e ripete forte: – Le ha mangiate quel bastardo di tuo figlio! Le ha finite tutte per farmi dispetto –. La voce di lei non mi arriva. Non so se sta zitta o risponde piano. Comunque lui riprende a camminare per la casa urlando e rompendo tutto quello che poteva rompere. Io cosa faccio? Mi alzo, scappo, mi nascondo in un armadio. Sapevo che prima o poi sarebbe arrivato. Infatti da dietro la porta sento che sta andando in cucina. Sento che ribalta la branda con un calcio, urla ancora più forte, comincia a cercarmi. Io spero solo una cosa, che si stanchi. Invece è pieno di forze e dopo neanche cinque minuti apre l'armadio e mi trova.

Penso: adesso gliele vomito in faccia. Però lo ha pensato anche lui. Mi infila un cucchiaio in gola come lo infilano i dottori e me le fa vomitare.

Siamo uno di fronte all'altro con il vomito in mezzo. Io per lo sforzo ho le lacrime agli occhi. Lui ansima. Appena ha più fiato, dice: – Non ti sognare più di mangiare le mie cose dal frigo! – e mi dà due schiaffi che quasi cado per terra. Quella notte sono rimasto a dormire nell'armadio. Mi sono arrotolato tra i vestiti come una volpe d'inverno nella tana.

Nei mesi seguenti non è successo niente di speciale. Lui era sempre un po' troppo nervoso. La mamma quando non mi vedeva, la guardavo di nascosto, la guardavo e avevo l'impressione che anche se faceva finta di essere felice, dentro era triste. Il fratellino intanto era cresciuto, aveva imparato a camminare a quattro zampe. Sapeva andare solo indietro. Così vedeva una cosa, voleva avvicinarsi invece si allontanava. Più indietreggiava, più gridava forte, gli faceva rabbia.

Mi sarebbe piaciuto toccarlo, tenerlo tra le braccia, sentire il suo caldo ma non potevo. Non mi era permesso, così lo guardavo da lontano e basta.

Poco prima dell'estate il marito di mia madre ha cominciato a innervosirsi ancora di più. Era di nuovo geloso e quasi ogni notte tornava ubriaco. Io mi nascondevo dove potevo, cercavo un posto sicuro già prima di cena. Per non farmi trovare lo cambiavo ogni volta. Da lì sentivo cosa gridava. Gridava anche questo è come l'altro, bastardo! Troia, cagna, bastarda, con tutti allarghi le gambe!

Diceva così alla mamma. Lei non so cosa diceva, non riuscivo a sentirlo, stavo troppo distante. Quando lei non c'era perché aveva il turno di notte faceva con me la stessa cosa. Io intanto, però, avevo imparato a fuggire svelto. Avevo sempre le scarpe da ginnastica, correvo veloce. Lui era ubriaco non ce la faceva quasi mai a prendermi. In tutti quei mesi mi ha acchiappato solo un paio di volte. Io stavo lì sotto i suoi piedi e i suoi colpi non mi arrivavano. Cioè sì, arrivavano a segno ma era come se non arrivassero perché io non c'ero, avevo inserito il pilota automatico.

Così, di giorno, quando me ne andavo in giro per le strade ero ancora più confuso, per mangiare per dormire per parlare non esistevo. Esistevo solo di notte, esistevo solo come una cosa per scaricare la tensione nervosa.

La legge dell'elettricità la conosce, no? Se si carica un oggetto e lo si carica ancora alla fine succede qualcosa, se l'accumulo è troppo esplode.

Arriviamo così all'inizio di giugno. È in quei giorni che accade una cosa, la mamma si ammala. Non so cosa avesse, è venuto anche il medico e non ha saputo dire niente. In ogni caso lei se ne sta lì a letto con gli occhi chiusi come una morta. Quando siamo soli a casa io mi affaccio alla porta e la guardo. Lei non mi vede. Almeno così credo fino a che un mattino con la mano mi fa segno di avvicinarmi. Allora io mi avvicino, raggiungo il letto in punta di piedi. Sto accanto senza sapere cosa dire. Anche lei sta zitta, però apre un po' gli occhi. Con la sua mano cerca la mia, alla fine la trova e me la stringe forte. Mi accorgo di questo, che è fredda, freddissima. Più fredda della mia.

Il fratellino? No, non c'era. Ai primi sintomi della malattia, l'hanno mandato in campagna da quella zia dove sono stato anch'io.

Insomma, per farla breve, anche se lei era ammalata lui non aveva smesso di tornare ubriaco. Anzi per il fatto che stava a letto sembrava ancora più arrabbiato. Così quasi ogni notte io mi nascondo. Lui mi cerca, cerca la mamma. Cammina in su e in giù urlando, rompendo tutto eccetera eccetera. A tutto ci si abitua, no? Anche a questo. Dopo un po' sembra normale, una cosa come un'altra.

Poi una notte lui torna più arrabbiato di sempre. Quel giorno la mamma era stata malissimo. Lo sento gridare già dalla strada. Sale le scale, passa davanti al mio armadio e va diritto nella stanza della mamma. Ascolto, certo, e dopo un po', siccome non riesco a sentire, apro la porta del mio nascondiglio. Solo allora mi giungono chiari le urla e i colpi. Sento anche la voce della mamma, sembra che pigoli che pianga o che stia per piangere.

Ogni tanto si legge sui giornali, no? Un uomo debole o pauroso in circostanze straordinarie viene invaso da una forza sovrumana, è in grado di fare qualsiasi cosa, si comporta come se non fosse lui ma un essere invincibile.

Così è successo a me quella notte. Senza capire

niente ho spalancato la porta dell'armadio, sono uscito fuori, ho percorso il corridoio con i passi di un leone, ho fatto irruzione nella loro stanza con i muscoli tesi, i polmoni gonfi. Lei era per terra, lui con un coltello in mano le stava sopra. Ricordo questo ancora, io che mi avvicino e mia madre che grida «no!», gli occhi di lui stupefatti e poi tutto quel sangue che mi zampilla addosso. Non ricordo invece la dinamica esatta dei movimenti, in che modo cioè il coltello sia passato dalla sua mano alla mia, dalla mia mano alla sua pancia. Stringendo ancora il coltello sono balzato indietro, sono schizzato via prima ancora di rendermi conto di cos'era accaduto.

Per strada alla prima fontana mi sono lavato le mani, le ho sfregate a lungo sotto l'acqua. Il sangue rappreso se ne andò subito ma l'odore no, mi rimase dentro. Per qualche via segreta, come quello del pesce, dalle dita era andato lassù in qualche luogo tra le narici al cervello.

Ho vagato per la città una settimana intera. Giravo per lo più di notte, non leggevo i giornali, non sapevo se lui era morto o meno. Non ero io a muovermi ma il pilota automatico, la belva con le viscere esplose.

In quei giorni ho colpito quattro volte.

I corpi dei primi tre li hanno trovati quasi subito, il quarto lo stanno ancora cercando. Li ho attesi tutti fuori dalla scuola. Erano poco più che bambini, ogni volta andavo fuori da una scuola diversa. Li ho scelti per questo, perché nessuno era andato a prenderli. Mi avvicinavo con discrezione, sorridendo, dicevo loro che ero un lontano cugino, mi seguivano allegri, contenti. Volevo che fossero contenti per sempre.

Dei primi tre credo che sappia tutto, l'ha letto nei referti, no? Strangolamento, sodomia eccetera eccetera. Il corpo del quarto se vuole può mandare qualcuno a prenderlo. Deve essere ancora lì sotto, sepolto vicino alla discarica della ferrovia.

Era il più giovane di tutti, sette anni, otto, non di più, un viso silenzioso e intelligente. Soltanto con lui, quando mi è rimasto tra le braccia senza più respiro, mi è venuto quel desiderio. Allora, senza pensarci con il coltello gli ho squarciato il petto, era tenero, si è aperto in due come fosse di burro.

A sinistra dello sterno c'era il cuore, si muoveva ancora.

Invece di avventarmi sopra l'ho tirato fuori con la delicatezza di una cosa preziosa. Finito l'ultimo boccone dentro mi è scesa una gran calma, una pace, dopo tanti anni per la prima volta ho sentito caldo.

Sono stato catturato poche ore più tardi. Appena ho visto quell'automobile ho capito tutto, non hanno dovuto inseguirmi, li ho aspettati fermo, con le mani in tasca.

Quand'ero già rinchiuso qua dentro ho saputo che il marito di mia madre non era morto, l'avevo colpito solo così, di striscio.

Crede che se l'avessi saputo prima non avrei ucciso gli altri? Chi lo può dire? Lei?

Certo me la sarei cavata con poco. Mi sono pentito? Ho rimorsi? Non ha nessuna importanza, era una cosa che avevo dentro. Del resto è sempre la questione delle due macchine. Si scontrano? Non si scontrano?

Dipende dall'ora in cui partono.

SOTTO LA NEVE

Helsinki, 28 febbraio 1969

Caro,

mi trovo in Finlandia per uno dei tanti congressi. È durato tre giorni e ieri c'è stata la cena di addio tra i partecipanti. Non avevo alcuna voglia di andarci, ho addotto un malessere e mi sono ritirata nella mia stanza. Dalla sala dei congressi all'albergo sono andata a piedi. Nonostante sia quasi marzo c'è ancora la neve alta. Lungo il percorso mi sono soffermata più volte davanti alle casette di legno. Era buio e sui davanzali delle finestre erano accese tante candele. Un collega di questo paese mi ha spiegato che si tratta di un'abitudine diffusa. In questo modo, durante l'inverno, si ha l'impressione che la giornata duri più a lungo. Eppure questo buio precoce non mi dispiace affatto. Dalle finestre illuminate si riversa nelle strade un'idea di grande intimità. Con ogni probabilità però si tratta di un'idea sbagliata. Chissà invece quali piccoli inferni si celano anche là dentro! Comunque passeggiando per quelle strade vuote e silenziose coperte di bianco non ho potuto fare a meno di sentirmi come Riccioli d'Oro, la ragazzina che di nascosto si infila nella casetta dei tre orsi. Avrei voluto entrare, bere una tazza di latte caldo, infilarmi sotto una spessa trapunta e dormire e dormire senza pensare a niente.

Sai, ci sono spesso dei sogni che si vorrebbero fare. Sogni che a occhi aperti si desiderano intensamente e che con gli occhi chiusi non vengono mai. Io sogno sempre di sognare questo. Cammino a lungo in una bufera di neve, poi vedo una luce, la luce di una casa. La raggiungo, entro. Non c'è nessuno ed è molto accogliente. Allora mi tolgo i vestiti, al loro posto indosso una camicia da notte di flanella e sparisco in un enorme letto di legno con una trapunta a cuoricini rossi. Sto lì e non dormo. Con le mani aggrappate alle coperte ascolto la neve cadere. Sento i fiocchi uno dopo l'altro che si posano sul tetto. Non mi chiedo niente, non aspetto niente: respiro. Sono felice così e basta. Per un istante ho la sensazione non solo di capire il mondo ma anche di esservi compresa dentro. Cosa quieta tra le quiete cose.

Anche ieri notte, al momento di chiudere gli occhi tra le lenzuola fredde anonime dell'hotel, ho espresso il desiderio di quel sogno.

Vi ho pensato con tutte le mie forze, ed ero quasi certa che sarebbe venuto.

Invece ho fatto un altro sogno. Ero diventata piccola piccola e mi trovavo prigioniera nella casa delle bambole che avevo da bambina. Era una casa di due piani di legno leggero con porte e finestre e tanti minuscoli arredi. Seduta alla tavola da pranzo c'era una delle mie bambole. Affacciandomi dalla finestra vedevo la mia stanza – una scarpa di qua, una di là, i libri aperti sulla scrivania. Tutto però sembrava lì abbandonato da tempo, deserto. Provo a parlare ma non mi esce la voce. All'improvviso sento un gran freddo che mi sale dentro. Allora raggiungo il lettino e mi corico sopra. Non so quanto tempo sto lì, ma so che, mentre mi trovo in quella posizione, sento prima piano e poi più forte una voce, la voce di un bambino.

Anche se non distinguo le parole capisco che non parla ma canta. Canta una filastrocca. Ogni tanto s'interrompe e ride divertito. A quel punto faccio per alzarmi, per muovere un braccio, una gamba e a quel punto mi accorgo che non posso perché da capo a piedi sono coperta da una lastra di ghiaccio. Cerco di urlare ma l'urlo nel ghiaccio resta soffocato. Esplode invece nella stanza e con il mio stesso urlo mi sveglio.

Adesso sono qui ancora in vestaglia, seduta al piccolo scrittoio vicino alla finestra. Un ragazzo mi ha portato la colazione. Dopo mangiato mi sono sentita meglio. Ho guardato l'orologio, all'appuntamento al terminal mancavano quattro ore esatte. Così, senza quasi sapere dei miei gesti, ho preso la carta intestata dell'albergo e ho fatto ciò che non avevo mai avuto il coraggio di fare. Ti ho scritto una lettera.

Roma, 1° marzo 1969

Da due ore sono tornata a casa. Ho disfatto la valigia, messo a lavare ciò che era sporco. Mi sono fatta un thè e l'ho bevuto seduta in salotto davanti alla televisione spenta. Non avrei mai dovuto iniziare a scrivere quella lettera. Si è trattato di un momento di smarrimento, di debolezza. Io sono una donna forte. Almeno così tutti mi conoscono. Mai un cedimento, mai niente. Invece ho ceduto e adesso sento che non posso tornare indietro. È un po' come un rubinetto che ho aperto: l'acqua scorre e non la posso più fermare. È un paragone banale ma non riesco a trovarne un altro che vada altrettanto bene. Del resto l'originalità non è mai stata il mio forte.

Ho fatto il volo di ritorno con il direttore dell'agenzia. Per annunciargli il mio ritiro dal lavoro ho atteso che fosse finito il decollo. Credeva che scherzassi. Ridendo mi ha detto: – Questo convegno sulle meteoropatie ti ha dato alla testa –. Ho sorriso, ho risposto che la testa ce l'avevo ben sulle spalle. Sapevo quello che stavo per fare, l'avevo meditato a lungo. Si è spaventato della mia fermezza. Ha detto: – Non ti sentirai vecchia, no? Lo sai, anche se ci sono tante ragazze nuove tu sei sempre la migliore di tutta l'agenzia. Tutti ti vogliono bene, ti stimano.

Ho cercato di esporgli le mie ragioni pratiche. Gli ho detto: – Ormai che mia madre è morta non ho più bisogno di lavorare. Mi ha lasciato dei beni che mi consentono di vivere altri cent'anni senza fare niente –. Poi gli ho detto anche che ero stanca e non me la sentivo più di andare da una parte all'altra del mondo per tradurre ciò che dice la gente.

A quel punto ha detto che capiva. Non era affatto raro che alle donne della mia età venisse un piccolo esaurimento, ma con un po' di riposo, un viaggio di svago si risolveva presto tutto. – Perché non vai in Messico? – ha concluso – pare che sia bellissimo!

Ho sorriso, gli ho sfiorato la mano. Vent'anni di lavoro insieme sono un po' come un matrimonio. – Alberto – gli ho detto – d'ora in poi c'è un solo posto dove voglio stare e quel posto è casa mia.

Per un po' è rimasto zitto, con la faccia di un bambino impensierito. Poi, a un tratto, si è messo a fissarmi negli occhi. Ha detto piano: – Allora è amore?

In quel momento l'aereo stava entrando in un'enorme nuvola.

Ho pensato alla lettera. Gli ho risposto: – Sì, in qualche modo sì.

Guardo la mia casa, ordinata, perfetta: la casa che tutti si aspettano che io abbia. Ci sono dei mobili di buon gusto, alcune cose vecchie di famiglia, una cucina moderna. Sul tavolo in salotto dei fiori sempre freschi, sistemati con garbo. Tornando dai lunghi viaggi di lavoro sentivo questo luogo come il mio rifugio. Avevo i miei piccoli gesti, le piccole abitudini di persona sola.

Fino all'anno scorso al piano di sopra abitava mia madre. Di solito ero io che salivo. L'andavo a trovare dopo cena. Controllavo che tutto fosse a posto e poi riscendevo al mio appartamento. Queste visite, questa vicinanza, invece di essere sollievo, erano un peso. Amore. Forse proprio questo mancava. Lei, quand'ero bambina, si era presa cura di me e io quand'era vecchia mi sono occupata di lei. In tanti anni, però, non c'è mai stato un gesto, uno solo che mi desse l'idea che fosse qualcosa di diverso da un obbligo. Avrei potuto ribellarmi, certo. Ma avrei dovuto farlo molto prima, quasi agli inizi. Che senso aveva farlo quando lei era già vecchia? Cosa sarebbe cambiato nella mia vita? La mia vita l'aveva decisa lei. Io non avevo potuto fare altro che seguirla. Un cane da ciechi, ecco come mi sono sempre sentita, una bestia docile e calma su cui tutti potevano fare affidamento. Potevo tradire la fiducia di tutti? No, non potevo. La viltà, sai, è una cosa che si sconta diventando vecchi. Allora si comincia a pensare a tutte le cose che si potevano fare e non si sono fatte. Si comincia a vedere la propria vita sicura e tranquilla come una serie ininterrotta di vuoti e di perdite. Ci potevano essere tante cose e invece non c'è stato niente. Un fluire incolore del tempo e basta. Adesso lo so, l'amore richiede forza. Bisogna essere coraggiosi per amare. Ma da bambina non me l'ha detto nessuno. Non ho mai visto i miei genitori insieme per qualcosa di diverso da un contratto. L'amore era quello delle fiabe. Un filtro magico che ingurgitava la povera pastorella, il bacio che risvegliava la principessa.

Tante volte vado per la strada e osservo le ragazze, le giovani donne. Sono molto diverse da quelle dei miei vent'anni. Nei loro confronti provo un senso di invidia. Le ragazze di buona famiglia crescevano per essere buone spose, leggevano storie edificanti e credevano che fossero vere. Molte volte, negli ultimi mesi di malattia della mamma, mentre stava con gli occhi chiusi, la testa persa nell'enorme guanciale, mi sono sorpresa a odiarla. Sono cose che non si dovrebbero dire, ma i rubinetti sono così, quando si aprono esce di tutto. Detestavo la sua prepotenza caparbia, l'avermi dato la vita per poi riprendersela giorno dopo giorno, goccia dopo goccia. Come si fa a odiare una povera vecchia in fin di vita? Mi crederai un mostro. Forse lo sono.

Non sta a me dirlo. Sarai tu a giudicarlo quando avrai saputo tutta la storia. Ti posso dire solo questo, il giorno in cui lei è morta ho avuto per la prima volta l'impressione che l'aria entrasse davvero nei miei polmoni. Respiravo. Qualcosa doveva cambiare, questa era la mia idea fissa. Volevo rompere quel cerchio in cui da sempre mi sentivo costretta. Sono passati molti mesi prima di decidere. La mattina in cui sono uscita per andare nell'ufficio di un investigatore privato mi sembrava di camminare in modo diverso, passi più lunghi, la testa alta. Pensavo, questo è il mio primo gesto di coraggio. Appena sono uscita da quella porta ho pensato la cosa opposta. – Emanuela – mi sono detta – questa non è altro che una delle ultime vigliaccherie della tua vita.

Mi sono calmata abbastanza presto. In fondo gli avevo detto soltanto la data della tua nascita, il nome impreciso di una levatrice. Che riuscisse a trovarti era quasi impossibile. Di sicuro dopo tre mesi mi avrebbe telefonato dicendo ch'era desolato, non c'erano tracce. Io avrei detto che andava bene lo stesso, avrei pagato l'onorario e senza alcun turbamento sarei tornata alla mia vita di sempre.

Invece non è andata così.

L'ho conosciuto nel modo più banale possibile. Uscivo da scuola. Ho visto passare il mio tram dal lato opposto. Per non perderlo ho fatto una corsa. Correndo sono inciampata, i libri si sono sciolti dalla cinghia e sono rotolati sull'asfalto. Prima che riuscissi a capire se mi ero fatta male o meno, ho visto la sua mano tesa. Mi ha afferrato un braccio, sollevata da terra. Appena in piedi mi ha chiesto: – Tutto bene? – e con una lunga occhiata dal basso in alto ha percorso il mio corpo. L'ho guardato di sfuggita, era giovane, indossava la divisa delle truppe alleate. Ho detto: – Non è niente, grazie –. Mi sono chinata per raccogliere i libri. Lui si è chinato più svelto, li ha raccolti, li ha legati con la cinghia, me li ha porti. L'ho ringraziato, ho detto: – Adesso devo andare, è tardi –. Ha insistito per accompagnarmi. Io ho detto: – Grazie no, non importa posso andare da sola.

Mi ha accompagnata lo stesso. Lungo la strada mi ha raccontato un po' di sé. Era ufficiale medico, si trovava in Italia da più di un anno ma gli sembrava di trovarsi lì da sempre. I suoi nonni erano italiani, di vicino Lecco, conoscevo? Forse per questo si sentiva quasi a casa, aveva imparato la lingua prima di chiunque altro. Di me non gli dissi niente, sapevo che non stava bene. A un paio di isolati da casa gli dissi che ero arrivata. – Dove abita? – mi chiese lui. Feci un gesto vago con la mano, dissi da quella parte.

Fece finta di credermi, si fermò. – Allora arrivederci – disse. Lo salutai anch'io, proseguii. Solo prima dell'angolo mi voltai a guardare. Non si era affatto mosso. Appena i nostri occhi si incrociarono mi sorrise. Aveva denti bianchi e perfetti. Era alto, forte e con lo sguardo buono come Gary Cooper.

Quando il giorno dopo lo trovai fuori dalla

scuola, non cercai di sfuggirli. Gli andai incontro sorridendo come se già sapessi ch'era lì. In mano aveva un fiore. Non appena gli fui accanto mi baciò sulla fronte. Cominciai a parlargli di me. Parlavo con foga e mentre parlavo le guance diventavano rosse. Iniziai a pensare a lui anche quand'ero sola. Pensavo e sorridevo. Prima di dormire abbracciavo il cuscino come se fosse lui. Avevo letto diversi romanzi per giovanette. Sapevo che quello era l'amore. Mi aveva colpita quando meno me l'aspettavo. I romanzi dicevano che succedeva proprio così. Pensavo già al futuro. Vedevo una casetta con il prato di fronte e delle torte di mele a raffreddare sulle finestre. Lui aveva una macchina enorme, simile a un furgone. La sera tornava stanco dall'ospedale e io preparavo da mangiare. Mi raccontava i casi che aveva in cura e io lo ascoltavo. Ero orgogliosa di lui, della sua generosità umana. Dopo tre anni avevamo già due bambini. Avevano i capelli rossi e le lentiggini. Ne avremmo avuti ancora altri, tutti quelli che sarebbero venuti. Ci amavamo come il primo giorno. Eravamo felici e le cose non potevano andare in modo diverso.

Dopo un mese mi domandò di uscire con lui una domenica pomeriggio. Per i miei genitori inventai una storia di ripetizioni di matematica a casa di un'amica. L'amica, naturalmente, sapeva tutto. Era d'accordo.

Andammo al cinema. Il cuore mi batteva in gola e non riuscivo a seguire il filo della storia. Poco dopo l'inizio del secondo tempo mi attirò dolcemente a sé e mi baciò. Rimasi sorpresa della lingua, non sapevo che servisse anche a quello. Dal momento di quel bacio il tempo per me iniziò ad accelerarsi. Avrei voluto lasciare la scuola subito. Dirlo ai miei genitori, partire per l'America immediatamente. Con lui, però, di questi progetti non parlai mai. Non so perché, avevo paura. Lui aveva trent'anni, io sedici. Certe notti non riuscivo ad addormentarmi. Pensavo che lui aveva già una famiglia e non me l'aveva detto. Un giorno dalla tasca della giacca gli vidi spuntare una cartolina con il francobollo degli Stati Uniti. Non riuscii a leggere cosa c'era scritto ma la calligrafia era quella di una donna. Tuttavia anche quella volta non gli chiesi niente. Quando mi abbracciava e mi guardava negli occhi mormorando parole dolci, ogni sospetto andava via, fuggiva lontano. Sì, lui era innamorato di me quanto io lo ero di lui.

Per diversi mesi i miei genitori non si accorsero di niente. Solo quando il rendimento scolastico cominciò a calare iniziarono a sospettare qualcosa.

Io comunque mantenni il segreto. Gli avrei svelato tutto poco prima di partire per l'America, nell'imminenza delle nozze. Ero quasi certa che si sarebbero opposti ma ero anche altrettanto certa che non appena l'avessero conosciuto ogni resistenza si sarebbe sciolta.

Ero ingenua, non ti pare? Forse anche un po' ridicola. Ho esitato a raccontarti questa parte della storia. Poi ho deciso che era meglio dirtelo. Anche se ci faccio una povera figura volevo che tu sapessi che sei figlio dell'amore. O almeno di quello che io credevo tale.

È accaduto dopo sei mesi che ci conoscevamo.

Ho atteso il ciclo e il ciclo non è venuto. Ho aspettato un altro mese per dirglielo. Temevo si trattasse solo di un ritardo. Gliel'ho detto un pomeriggio di domenica, passeggiando lungo le strade vuote. Avevo immaginato quel momento tante volte. Ero sicura che lui avrebbe riso, mi avrebbe abbracciato sollevandomi in aria. Invece non appena ebbi pronunciato l'ultima parola – l'ultima parola era figlio – lui si fermò come inchiodato. Mi guardò in silenzio, poi si grattò il mento. Disse: – Ah, sì? –. Risposi che ero quasi certa ma a quel punto già quasi mi veniva da piangere. Delle analisi si incaricò lui. Lui lesse il responso e me lo disse. Era vero, aspettavo un bambino. Nei giorni seguenti non si fece più vedere, sparì per più di una settimana. Alla fine fui io ad andare al suo alloggio. Lo aspettai appoggiata a una ringhiera per ore e ore. Quando mi vide trasalì, parve infastidito. Io scoppiai a piangere senza alcun ritegno. Mi circondò le spalle con un braccio. Disse via, non fare così, non qui.

Andammo in un bar, mi offrì una camomilla. Lì mentre soffiavo sulla tazza mi disse che era stato richiamato in patria. Non dovevo preoccuparmi, però. Il prima possibile avrebbe fatto le carte per il matrimonio, avrebbe mandato un biglietto affinché lo raggiungessi laggiù, nell'Oregon. Lo ascoltavo e non mi pareva vero. Mi sembrava di essere scivolata in un film senza accorgermi. Con un filo di voce gli chiesi di presentarsi ai miei genitori, di spiegare loro tutto. Annuì, disse che se avesse avuto tempo, uno di quei giorni, avrebbe fatto un salto a casa mia. Poi si alzò. La sedia fece un rumore forte. Disse:

– Adesso devo proprio andare –. Lo afferrai per una manica, gli chiesi l'indirizzo. Scarabocchiò qualcosa svelto sul bordo di una busta e me lo diede. Prima di andarsene sfiorò la mia fronte con un bacio.

Lo vedo ancora. Vedo i suoi pantaloni e la sua giacca cachi, le sue gambe che si allontanano lungo il marciapiede con passo elastico.

Non so quando partì di preciso. Attesi dodici giorni e lui non si fece vivo. Da una cabina pubblica telefonai al comando. Mi dissero che se ne era andato con l'ultimo contingente. Riagganciai senza chiedere altro.

Eppure non ero ancora disperata. Avevo fiducia. Pensavo che tutto ciò che mi aveva detto era vero. Sai, le eroine dei romanzi erano così, mettevano la forza positiva davanti a tutto, affrontavano le avversità certe che alla fine ogni cosa si sarebbe risolta nel modo migliore. Proprio il mese prima assieme a lui avevo visto «Via col vento».

Così, quella sera, prima di addormentarmi, dissi quello che diceva Rossella O'Hara. Dopotutto domani è un altro giorno. Il mattino seguente invece di andare a scuola, mi recai in un bar e gli scrissi una lettera: mettendo dentro le frasi più poetiche che conoscevo, gli raccontai come immaginavo la nostra vita futura. All'urgenza del momento non accennai neppure. Dentro di me mi illudevo che fosse già tutto risolto.

Attesi la risposta più di un mese. Un mattino arrivò. Ma non era la sua lettera bensì la mia con un timbro sopra. Indirizzo sconosciuto.

Allora e solo allora tutto si sgretolò intorno.

Tutto ma non tu. Tu continuavi a crescermi dentro e non era più possibile nasconderlo.

Immaginai di scappare. Immaginai che per la vergogna mi avrebbero mandato via loro, i miei genitori. Mi vedevo vagare di porta in porta, come la piccola fiammiferaia, chiedendo qualcosa da mangiare. Vedevo davanti a me le cose peggiori e io che le affrontavo a testa alta. Non accadde nessuna delle cose che avevo prospettato. Accolsero la notizia con compunto silenzio. Eravamo a tavola. Poi mio padre disse: – Alzati e vai nella tua stanza –. Appena sola mi buttai in ginocchio ai piedi del letto. Pregai, ringraziai Dio per la bontà dei miei genitori.

Adesso so che quella cosa era il peggio, ma a quel tempo mi sentivo fortunata. Era come una grazia che mi arrivava dall'alto.

Il giorno seguente mia madre mi convocò in salotto. Disse che per prima cosa, adducendo un esaurimento, mi sarei ritirata da scuola. Poi, assieme a lei, avrei raggiunto la nostra casa di campagna e lì, lontano da occhi indiscreti, avremmo atteso il parto. Non riuscii a trattenere l'emozione. Baciai mia madre, dissi grazie mamma. Lei sospirò, guardò la mia pancia ormai più che evidente, disse: – Se non avessi aspettato tanto a dircelo avremmo risolto tutto in modo migliore –. Allora fui felice di non averlo detto prima. Mai neppure nei momenti più disperati mi era venuto in mente di abortire. Quasi subito mi ero procurata un libro sulla gravidanza. Sapevo giorno dopo giorno quello che ti stava succedendo. Si erano formati gli abbozzi delle braccia e delle gambe, la testa era già grande; dagli abbozzi erano spuntate le manine, i piedini, avevano le dita piccole e perfette, le unghie sarebbero venute più tardi. Come avrei potuto succhiarti fuori, sbatterti lì, su un tavolo, dentro una bacinella? Neanche il risentimento che stava nascendo verso tuo padre mi avrebbe portato a un simile gesto. Ricordavo il momento in cui ti avevamo concepito. C'era amore in quell'istante. Che sia durato una frazione di secondo poco importa. Tu eri l'estensione di quel secondo. Un secondo che durava una vita intera. Ti avrei amato, sarei riuscita ad amare persino la somiglianza che avresti avuto con tuo padre. Per la tenerezza della memoria, non per altro.

Così, con questi pensieri mi avviai verso il soggiorno in campagna.

In quei mesi, all'infuori di mia madre, non ho visto nessuno. Entrambe eravamo tranquille. Facevo lunghe passeggiate in giardino. Guardavo i fiori, le api che vi si posavano sopra. Sentivo che anch'io ero parte della natura e, sentendolo, percepivo dentro una gran forza. Quand'eravamo soli ti parlavo spesso. Nelle nostre conversazioni ti chiamavo Riccardo. Ero sicura ch'eri maschio. Ti avevo dato quel nome per la mia passione verso i Cavalieri della Tavola Rotonda. Riccardo Cuor di Leone.

Alla fine del settimo mese, di nascosto da mia madre, cominciai a farti un completino. Usavo l'uncinetto e la lana era azzurra. Per portarlo a termine impiegai più di quaranta giorni. Non ero pratica in quel tipo di lavoro. Quando ebbi saldato l'ultima cucitura trionfante lo mostrai a mia madre. Lei lo osservò in silenzio, con le labbra in giù. Sul suo silenzio esclamai: – Ora che ho imparato ne farò almeno altri dieci!

A quel punto fu lei a parlare, disse: – Sarebbe tempo perso perché il bambino non dovrai neanche vederlo.

Non capii subito ma solo quando lei parlò della minore età e delle carte necessarie. Con un atto legale avrei rinunciato al bambino ancor prima di metterlo al mondo.

Mi ribellai? A mio modo, come ero capace. Scoppiai in singhiozzi e mia madre mi consolò. Tra le lacrime dissi che se non volevano quel peso me ne sarei andata a lavorare, se non volevano la vergogna assieme a mio figlio sarei sparita per sempre. Cercò di farmi ragionare: nessuno di loro era cattivo, tutto quello che stavano facendo era per il mio bene. Si era trattato di un incidente e come un incidente andava risolto. Non potevano permettere che per un attimo di incoscienza mi rovinassi tutta la vita. Ero giovane, carina, intelligente, di buona famiglia. In quelle condizioni, con un figlio, come avrei potuto trovare marito? Dovevo pensare al futuro non a ciò che, disgraziatamente, era già avvenuto. Il bambino sarebbe stato meglio in una famiglia vera, io da sola. Protestai ancora. Protestai finché lei disse che era inutile che protestassi, mi logoravo i nervi e basta. Io ero minore e, grazie alla legge, per me decidevano loro. Non c'era nient'altro da aggiungere. Avrei capito un giorno, quando sarei stata grande.

Alla tua nascita mancava appena un mese. Lo trascorsi in assoluto silenzio. Pregavo, mi rivolgevo alla Madonna. Dicevo: – Nella tua infinita bontà tu, madre di tutti gli uomini, proteggimi –.

Speravo in un miracolo, il miracolo era che lui tornasse.

Prima del miracolo però vennero le doglie. Ti presentavi in modo normale ed eri della grandezza giusta. Eppure, a detta del medico, poche volte aveva visto un parto così laborioso e lungo. Non avevo paura del male, avevo paura che tu te ne andassi. Invece di spingere, trattenni. Strinsi ogni muscolo che era possibile stringere. Sapevo che era pericoloso per entrambi, volevo quel rischio. Morti insieme, nello stesso istante. Ma la natura è forte, programma la vita in modo perfetto. Venisti al mondo. Eri sano, eri maschio. La levatrice ti avvolse subito in un lenzuolo, sparì con te in braccio nella stanza accanto. Ti intravidi per un secondo solo, vidi la tua testa, avevi i capelli rossi.

A quel mattino seguì un anno di torpore. Tornai in città ma non riuscivo ad interessarmi a niente, non parlavo, guardavo di qua e di là senza vedere niente. Dopo due mesi, d'accordo con il medico di famiglia, fui inviata in una clinica svizzera. Di quel periodo ricordo poco. Un colore, il bianco, nessun volto, nessun rumore chiaro. Trascorrevo il mio tempo dormendo, parlando in silenzio con te. Dicevo: – Su, fa ancora un bel sorriso alla tua mamma – e tutte le cose simili che le madri dicono ai bambini. Ti facevo il solletico sulla pancia, ti baciavo i piedi grassocci. Tenendoti in braccio passavo ore e ore alla finestra della stanza. C'era la neve. Degli uccellini con le piume gonfie saltavano sul prato alla ricerca di semi, te li indicavo con un dito. Poi venne il disgelo. Nel giardino sottostante s'incominciarono a intravedere chiazze di terra scura, i primi bucaneve. Allora qualcosa accadde anche dentro di me.

Non so di preciso cosa. Per una ragione sconosciuta decisi di non guardarmi più indietro. L'unico sentimento che mi animava era quello di una larvata buona volontà. I medici erano soddisfatti. Prima di Pasqua rientrai a Milano, studiai da privatista, diedi gli esami.

Forse, se mai hai saputo che non sei figlio dei genitori che ti hanno cresciuto, avrai immaginato per la tua vera madre un passato avventuroso, magari al margine della legalità. Ti deluderà sapere che tua madre fa parte della folla banale, è una di quelle signore con il tailleur sempre a posto e dalla schiena dritta che incontri per la strada o sull'autobus.

In questi giorni ci sono molte proteste di studenti per le città. Percorrono le strade in gruppi folti gridando a morte la società borghese! Forse anche tu sei tra loro, forse anche tu vedendomi passare con il paltò blu e la borsetta hai avuto per me un'occhiata di disprezzo.

Ma l'anima umana, vedi, è più complessa dei modi di vestire, dell'apparire.

Io, se potessi, se non avessi paura del ridicolo, mi strapperei gli abiti di dosso, salirei lassù sulle barricate a urlare con voi. Ciò che forgia e divide è il dolore, la violenza subita, non l'eskimo o il cappotto. Per colpa della banalità, del si deve, si dice, io sono stata costretta a vivere un simulacro di vita. È da questo che ci si deve liberare, dall'ipocrisia, dalle barriere. Perciò ho orrore della violenza di questi ragazzi. Li vedo ciechi, pronti a sostituire una menzogna con un'altra.

Chissà se fossi stato con me in questi giorni

quanto avremmo litigato! Sarebbe stato bello anche questo, però. Ci avrebbe fatto crescere tutti e due di un poco.

Di te ho soltanto il completino azzurro che ti cucii in campagna. L'ho conservato in un cassetto dell'armadio. Le notti in cui non riesco a prendere sonno – e sono tante – mi alzo e l'accarezzo. È strano ma anche se non l'hai mai indossato sopra vi è rimasto l'odore di un neonato. Odore di latte, di pipì, di borotalco.

A questo punto, immagino, ti sarai stufato. Penserai, ma perché mi annoia tanto questa vecchia? Oppure ti chiederai come ho fatto a capire tante cose e a non farne niente. Me lo sono chiesta molte volte anch'io, più che una risposta chiara ho trovato una sensazione. Non so se ti è mai capitato, ma alle volte camminando in primavera per i prati si trovano degli involucri affusolati e opachi: le squame vuote dei serpenti. C'è tutto il corpo con le dimensioni esatte e lo spazio degli occhi, solo non c'è più la bestia viva dentro, il cuore, i polmoni, le zanne velenose. Se n'è andato tutto via. Ecco dal giorno della tua nascita mi sono sentita proprio così, senza più niente dentro. Esteriormente ero la ragazza graziosa e gentile di sempre, ma al mio interno le viscere, con tutta la potenza dei sentimenti, si erano dissolte. Mi sentivo un automa. Lo ero. Lo sono. Soltanto, in qualche angolo che non ho mai saputo identificare, si è conservata intatta la capacità di guardare. Ho visto le vite degli altri come un regista che dalla platea osserva i provini. Ho visto, giudicato, mi sono fatta dei pareri sul mondo. Forse, non essendone coinvolta, ho potuto comprendere le cose prima e in modo più chiaro degli altri. A conti fatti, adesso, per come vivo e come penso, sono una persona saggia. E questa è una delle cose che voglio dirti. Guardati dalla saggezza! La vita è tutto fuorché saggia. La vita è movimento continuo, instabilità. Per starci bene in mezzo bisogna essere elastici, aperti, non legati a niente. La saggezza finché si è in buona salute non è altro che un binario morto sul quale vai avanti e indietro. Il paesaggio lo conosci a memoria. Sai come inizia il percorso, come finisce e il saperlo ti fa illudere di essere quieto e forte. Ma se cambi binario, se corri in un altro paesaggio? Tutto qui.

Il mio corpo, ti ho detto, in tutti questi anni è stato solo una buccia vuota, un cartoccio. È vero ma in parte anche non lo è.

Ogni anno, infatti, in concomitanza del mese in cui ti ho concepito, la pancia cominciava a gonfiarsi, lentamente, come se vi fosse qualcosa dentro. Dopo un mese mi veniva la nausea, la sonnolenza. Dopo nove un dolore atroce, lo stesso dolore di quando sei nato. Poi tutto tornava normale. Le prime volte, naturalmente, sono andata da un medico. È ridicolo ma mi era venuto il sospetto che mi fosse accaduto qualcosa di simile alla Madonna, per un'intercessione superiore avevo concepito un bambino. Poteva essere successo in un momento di stordimento, in un'ora o due di cui non conservavo ricordo. Invece erano soltanto gravidanze isteriche. Mi abituai anche a quello. In ufficio le colleghe osservavano: – Non è possibile, non mangi quasi niente eppure ingrassi! –. Mi consigliavano di andare da un dottore, di controllare il livello degli ormoni. Per la strada, ogni tanto qualcuno, passandomi accanto, mormorava complimenti, allora acceleravo il passo senza più guardare negli occhi nessuno. Stagione dopo stagione, per venticinque anni, una parte di me ancora viva ha compiuto questo rito. Poi sono venute le vampe di calore, le crisi di pianto improvvise e violente. È arrivata la menopausa. A quel punto ho pensato: finalmente tutto si è concluso.

Nel frattempo, dopo una lunga malattia, la mamma era morta. Il papà se ne era andato prima ancora che finissi gli studi. Ho creduto che stesse per aprirsi un nuovo capitolo, un capitolo dimesso e triste ma per la prima volta mio. Mi sono iscritta a un corso di ikebana. La domenica pomeriggio facevo dei thè con le colleghe.

Invece, a primavera, come ogni anno, la pancia ha iniziato a gonfiarsi. Non avevo sonnolenza ma la pancia si gonfiava come tutte le altre volte. Allora ho capito cos'era. Era un castigo, il prezzo della viltà che avrei pagato fino alla fine dei miei giorni.

Solo quando alla data stabilita la pancia non modificò il suo volume iniziai a preoccuparmi. Il mese prima mi ero recata da quel detective privato. Razionalmente non so perché l'ho fatto. Forse un presagio. Forse la volontà, con la presenza di un volto, di porre termine alla mia eterna punizione. Non volevo farmi viva, reclamare i miei diritti inesistenti turbando il tuo equilibrio.

Volevo solo sapere com'eri cresciuto, a chi assomigliavi, dove vivevi.

Comunque, quando due mesi dopo la data del parto, sentii dentro un dolore quasi insopportabile mi rivolsi al medico. Ironia della sorte, lo stesso giorno il detective mi diede la sua risposta. Esistevi. Tuo padre era un ingegnere, tua madre una professoressa di francese. Studiavi medicina, abitavi due strade più in là della mia.

Una settimana più tardi anche il medico rispose. – Mi dispiace – disse – ma là dentro c'è un tumore grande quasi come un bambino.

Durante quei mesi non ero mai stata sfiorata dal sospetto che potesse essere quello. Eppure, quando il medico me lo comunicò, non restai affatto sorpresa. Per più di vent'anni avevo desiderato che qualcosa mi crescesse nel ventre e alla fine quel desiderio era stato esaudito. Con una piccola differenza. Invece di custodire dentro di me la vita, covavo la morte.

– Se fosse venuta prima... – aveva detto il dottore con sguardo desolato. Io avevo alzato le spalle come a dire pazienza. Comunque poi – faceva parte del suo mestiere – mi diede un filo di speranza. Dovevo operarmi subito, impedire che le cellule folli se ne andassero in giro per il corpo. Mi diede un foglio con le analisi. Io dissi di sì che andava bene. In realtà non me ne importava proprio niente.

Davanti all'annuncio di una morte imminente molti diventano come pazzi. Piangono, si disperano, spendono tutti i loro soldi in piaceri. Altri all'improvviso si convertono, trovano l'ultima forza nella fede. A me non successe niente di tutto questo. Persino il medico se ne meravigliò. Quella notizia mi diede una specie di euforia.

Sulla strada di casa mi fermai da un vivaista. Il pomeriggio intero lo passai assorta in una composizione. Era la prima volta che non ripetevo una di quelle imparate a scuola. Disposi i tronchi secchi, i muschi, le barbe di lichene e, sopra a tutto, un ramo spoglio di rosa canina. Le bacche rosso vermiglio non le lasciai attaccate, le disposi seminascoste tra il muschio e la terra.

Ero così presa dallo studio delle forme e dei colori che mi dimenticai di cenare. Alla fine, soddisfatta, la contemplai da ogni angolo della stanza. Sì, si trattava proprio di un ikebana perfetto. Perfetto non per il rispetto delle regole ma perché finalmente esprimeva ciò che avevo dentro.

Lo battezzai «Sotto la neve».

Nei giorni seguenti feci le analisi richieste. Poi, come se niente fosse, partii per quel congresso a Helsinki. Lassù, chissà perché – per la neve? per il silenzio? – ho cominciato a scriverti questa lettera. Me ne pento? No, fa bene a me e basta. Domani entrerò in clinica per l'operazione.

Al ritorno dalla Finlandia – perché te lo dico solo adesso? – non ho resistito, sono venuta a vederti. Con una scusa qualsiasi ho chiesto alla portiera quale fosse la tua finestra. Controllando ogni tanto l'orologio come se fossi lì per un appuntamento, ho passeggiato là sotto per l'intero pomeriggio. Solo verso le cinque rapidissima dietro la tenda ho visto un'ombra.

Roma, 18 giugno 1969

Ancora qui, caro. Ancora viva e con te ancora dentro. Il bambino di cellule folli si è diramato per tutto il corpo, ha colonizzato prima il fegato e poi il cervello. All'agenzia hanno saputo del mio male. Alberto è venuto a trovarmi in ospedale. Non riusciva a togliersi la meraviglia dagli occhi. Diceva: – Non ci posso credere, stavi così bene...–. Naturalmente non sapeva la tua storia. Eccetto mia madre e mio padre non lo sapeva nessuno.

Se mi vedessi adesso non crederesti che sono tua madre ma una vecchia pazza. E devi averlo creduto l'altro giorno quando, uscendo di casa, mi hai visto seduta sulla panchina di fronte. Ci siamo incrociati con gli occhi quasi per sbaglio e tu subito, arricciando le labbra, hai distolto lo sguardo. Hai ragione, i capelli sono scomparsi quasi del tutto e la pelle come un involucro giallo e consunto si posa sulle ossa del cranio. Avrei voluto saltarti addosso, abbracciarti, sentire la vita viva nel tuo corpo. Invece ho guardato in basso, fingendo di cercare qualcosa e ho mosso un piede tra la polvere.

Non vedo più nessuno, né nessuno dei miei pochi conoscenti mi cerca. Una morte così evidente nel corpo fa paura a tutti. Ho rifiutato il ricovero prima del tempo. Detesto tutte quelle complicazioni dei fili, del susseguirsi delle operazioni. Perché strappare dei giorni ancora per una vita che quasi non c'è più? Una volta, da adolescente, quando ancora capivo la poesia, ho letto i versi di un poeta ungherese. Non ricordo cosa c'era prima ma ricordo che finiva così: «Vissi inutilmente / anche la morte sarà una cosa vana». In questi giorni ce li ho sempre in testa.

Per poterti vedere senza essere notata ho cominciato a portare con me delle borse di plastica. Sto ferma lì sotto e do da mangiare ai gatti.

Ho inventato un nome per ognuno. Quando vengono tutti insieme li chiamo bambini. Noto lo sguardo imbarazzato della mia portiera. È chiaro che pensa, la signorina M. è uscita di testa. Vedo per la strada gli sguardi della gente sulla mia testa ma anziché irritarmi mi fanno piacere. Con un soffio solo, la morte ha disperso la mia saggezza! Presto non ci sarò più. Che cosa me ne può importare del resto? Se fossi saggia adesso ti direi le ultime parole, quelle grandi e bellissime che segnano una vita. Invece mi viene solo da ridere. Sarà il lavorio delle cellule pazze nel mio cervello? Chissà.

Questa notte ho fatto un sogno. Ho fatto *quel* sogno. Per ore e ore camminavo in una tormenta di neve. A ogni passo le gambe sprofondavano fino al ginocchio. Avanzavo con sempre più difficoltà, sempre più sfinita. Quando ho visto quella luce in fondo già sentivo salirmi dentro il quieto torpore dell'assideramento. Ho stretto i denti, mi sono fatta forza. Sono caduta sulla porta quasi a peso morto, non era chiusa ma socchiusa, si è aperta. Dentro c'era il caminetto acceso, sul tavolo del vino e una minestra. Ho mangiato, bevuto. Poi sono salita al piano di sopra, il letto era pronto, sul cuscino era piegata una camicia da notte di flanella bianca. Dopo averla indossata sono sparita sotto il piumino. Accanto c'era una candela accesa, fuori infuriava ancora la bufera. Con gli occhi aperti ho iniziato a contare i fiocchi di neve, quelli che si posavano sul tetto e quelli che finivano spiaccicati sul davanzale della finestra. Poi ho cominciato a vedere tutti quelli che si posavano sulla foresta intorno, sulle cime e sui rami degli alberi, sulla terra. Sono finita sotto lo spessore bianco. Ho rotto la crosta di ghiaccio, sono andata ancora più sotto, lì dove ci sono le ghiande, i semi, gli umori pronti a svegliarsi a primavera. Ho visto le serpi dormire avvolte una sull'altra e le rane distese con le gambe aperte come fossero morte. Non so io cos'ero, forse un verme o uno sguardo oppure una formica. Là sotto mi muovevo agilmente. Stavo nel letto e non stavo nel letto, ero lì e dappertutto. Respiravo. A un tratto la candela si è spenta e mi sono addormentata. Ho dormito e ho sognato di dormire. Soltanto allora ho compreso.

Quando mi sono alzata questa mattina avevo pochissime forze. Ho aperto l'armadio a fatica, ho tirato fuori il completino azzurro, l'ho stirato, l'ho avvolto prima in una carta con i fiori e poi in una carta da pacco. Ho controllato nella borsetta se avevo due biglietti dell'autobus. Ho scelto un ufficio postale lontano, per il mittente ho inventato un nome e un indirizzo.

Allo sportello l'impiegata mi ha domandato se c'era una lettera dentro, ho detto: – No, nessuna lettera. – Allora l'ha sbattuto sulla bilancia dei pacchi. Sbattendolo mi ha visto trasalire, mi ha chiesto allarmata: – È fragile?

Con un filo di voce ho risposto: – Fragilissimo.

PER VOCE SOLA

Ieri sono venuti quelli della televisione. Li aspettavo già dalle due, sono arrivati un po' prima delle quattro. In tutto erano sei persone. Si sono messi subito a cercare le prese. Mentre sistemavano la telecamera davanti alla mia poltrona ho subito detto all'intervistatrice che era la prima volta che parlavo in televisione. Erano proprio sicuri che dovevo parlare? Volevano proprio me? Lei mi ha rassicurato, ha detto, deve parlare come se la macchina non ci fosse. Gli uomini intanto continuavano ad armeggiare intorno e ogni volta che spostavano una poltrona o un libro, io trasalivo. Non per le cose in sé, ma per lo sporco che c'era sotto. Sai bene come vivo, tutta la polvere che c'è qua intorno, come potevo spiegargli che ho poche forze e nessuno che viene ad aiutarmi per le pulizie domestiche? A te che sei giovane verrà da ridere, sono sciocchezze, no? Eppure io ero in grande imbarazzo. Colpa dell'educazione di una volta. Pazienza. Così, quando hanno acceso le luci li ho pregati di inquadrare solo il mio volto e niente di quello che c'era nella stanza, né i libri, né le statue di mio marito. Ho chiesto ancora: – Vado subito in onda? –. Si sono messi a ridere. No, tutto si vedrà tra tre mesi, forse tra quattro. Se qualcosa non mi piace lo posso dire e loro poi lo tolgono. Ti puoi informare se è vero? Mi hanno detto così, non ci credo più di tanto...

Mezz'ora dopo erano pronti per l'intervista. Uno degli uomini ha sbattuto un cartello, ha gridato. – I sopravvissuti, prima – e la cinepresa è partita. La giornalista era seduta di fronte a me. Senza modificare il suo sorriso ha detto il mio nome, il mio cognome, con un sorriso più grande mi ha chiesto: – Vuole raccontarci la sua storia? –. All'inizio la voce un po' mi tremava, poi piano piano è diventata quasi normale.

Ho parlato della mia infanzia, della vita nella mia città ai tempi della grande guerra. Ho parlato di mio padre, di mia madre, delle loro origini. Ho raccontato come ho conosciuto mio marito e l'inizio delle persecuzioni. Ho parlato benissimo, sai, senza nessuna emozione, non credevo che ci sarei riuscita. Parlavo non come se fosse la mia storia ma come se fosse la storia di un'altra persona. Non mi accorgevo che passava il tempo, l'intervistatrice annuiva e continuava a sorridere, sembrava soddisfatta. Ho parlato ancora della nascita di mia figlia, del nostro difficile rapporto... Proprio quando stavo parlando della sua morte la giornalista mi ha interrotta per la prima volta. – Quand'è avvenuta? – mi ha chiesto.

Allora, dentro di me ho contato le estati che erano passate, le contavo e appena le avevo contate me le dimenticavo, riprendevo a contare con calma ma nell'istante stesso in cui le avevo bene in mente, prima che dal cervello andassero alla lingua, me le ero scordate un'altra volta. Non so quanto tempo è passato, l'intervistatrice non sembrava preoccupata ma io sì, lo ero e di minuto in minuto diventavo più agitata.

È stata quell'interruzione la causa di tutto. Non me l'aspettavo sai, ho perso il filo. Ecco cosa vuol dire l'età. Cercavo delle cose da dire per riallacciarmi al discorso e avevo il vuoto in testa. La cinepresa continuava ad andare avanti, si sentiva il suo rumore nella stanza, solo quello. Dopo un po' l'intervistatrice per aiutarmi ha ripreso la parola.

Ha detto: – Anche sua madre è morta in modo tragico, vero? Ci vuole raccontare com'è andata?

Mi ha colta di sorpresa, non avevo in mente mia madre in quel momento ma tutto un altro ordine di cose. Invece di mia madre ho visto davanti a me la teiera in cucina con il fondo incrostato di calcare, ho mandato via la teiera, ho detto: – È morta... – ed è comparso il mio geranio della finestra tutto giallo e rinsecchito perché da più di tre anni non gli cambio la terra, ho cacciato anche quello e tutto ha iniziato a confondersi. Sai, un po' come quando da bambini si gioca e si gira e si gira su se stessi con gli occhi chiusi, si gira e si gira sempre più forte e poi ci si ferma, si riaprono gli occhi e tutto gira ancora, non si sa più dove ci si trova, come Pollicino nel bosco, qualcosa del genere, così mi è successo, annaspavo, non sapevo più dov'ero.

A quel punto la giornalista ha rifatto la domanda. Naturalmente lei lo sapeva già, l'ha fatta per gli ascoltatori che non conoscevano la storia, ha detto: – Sua madre, quand'è scomparsa si trovava in ospedale, vero?

Allora il tappo è saltato, mi è venuto tutto su, nella bocca, negli occhi. Ho gridato: – Non lo so!

– e ho cominciato a piangere. Ho visto il volto di mia madre tra le lenzuola, il suo corpo secco, l'ho visto non come adesso che lo racconto ma come se fossi lì in quel momento, in quel momento quand'era successo. Non avevo pianto, non avevo mai pianto neppure in tutti gli anni seguenti, cercavo di non ricordarlo, invece, all'improvviso quasi settanta anni dopo, stava lì, di fronte a me, c'era lei nel letto e poi il letto scomposto e vuoto e un camion di tedeschi tutto chiuso che partiva sotto i miei occhi. Ormai scricchiolavo dentro come una vecchia barca. Li conosco, esplodono così gli intenerimenti senili. Chissà perché con il passare degli anni si piange sempre di più, si comincia e non si riesce a finire, si va avanti per ore senza niente che consola. Il cuore è più fiacco, più esposto, le palpebre diventano molli. Si smette solo nel sonno, quando ci si addormenta. Così mi è successo ieri. Ancora adesso che te lo racconto, mi vergogno, divento rossa.

La giornalista stava immobile, dritta con il block notes in mano, e il rumore della cinepresa nella stanza c'era ancora. Pensavo che l'avessero spenta, invece no, stavano tutti lì fermi, come ipnotizzati da un serpente. Intanto io piangevo sempre più forte, con singhiozzi, piangevo per mia madre, piangevo perché non riuscivo a non piangere, piangevo perché piangevo e mi stavano filmando. Continuando a piangere con l'indice ho fatto segno di no, ho le gambe malate, lo sai, non potevo alzarmi e andare in un'altra stanza, ho fatto segno di no, ma non è servito, così ho nascosto il viso tra le mani, ho fatto una conchiglia sul volto, le lacrime scendevano da sotto, sentivo il caldo sul petto, la maglia bagnata, ho pensato adesso dico basta, ho raccolto le forze per farlo, la concentrazione tutta lì su un punto, sulla lingua, ho aperto la bocca, con quanto fiato avevo in corpo ho gridato: – Non c'è più burro in frigorifero!

Solo a quel punto si sono mossi, hanno fermato la macchina.

Quando sono usciti piangevo ancora, ho pianto tutta la notte. Credi che ci sia un modo per fermarli? Tu conosci tanta gente là dentro, ti puoi informare? Non ho pace, non riesco più a dormire. Colpa dell'età anche questo, ti fissi su un'idea e non te la togli più di mente. È venuto tutto su. Come quella cosa degli aerei, la scatola nera. Volano per tanto tempo e tutto va bene, la scatola dice abbiamo sorvolato il mare, dei monti, passato una tempesta, tutto bene, tutto perfetto; poi l'aereo cade, si trova la scatola, la si apre e si scopre che due o tre bulloni ballavano già da tempo, che ai bulloni si è aggiunto un tremolio dell'ala, prima il tremolio dell'ala e poi quello di tutto il reattore, e l'aereo è esploso con tutti i suoi segreti scritti là dentro, nel cuore nero.

Perché parlo? Non so niente degli aerei, delle loro scatole, ho solo letto qualcosa sui giornali. – Parli perché hai la lingua – mi diceva mio padre. Vero. Ma sai, da quando non ho più nessuno intorno ho preso quest'abitudine, di parlare da sola. Vado avanti per ore e ore, una specie di rumore di fondo, come una radio, senza ordine mi faccio le domande e mi rispondo. Guarda il mio geranio. Che cosa devo fare perché riprenda colore? Sta lì tutto giallo, ogni mattina mi alzo e penso adesso lo strappo, lo butto via. Poi non lo faccio e la sera è ancora lì, sempre più smorto.

Ogni volta che vieni a trovarmi, mi meraviglio. Perché? mi dico. Non sarà mica pena, no? E cos'altro potrebbe essere? Io sono solo una povera vecchia di giorno in giorno più stupida. Inutile che dici di no. Me ne accorgo io stessa. Vado in una stanza per prendere qualcosa e quando sono lì non mi ricordo più perché ci sono andata. Giro per un po' e poi torno indietro. Sai cos'ho fatto l'altro giorno? Ho scolato l'acqua senza aver messo dentro la pasta... Capita anche a te? Può darsi, comunque da giovani è diverso, ci si dimentica perché si hanno altre cose in testa. Mi sono accorta di diventare vecchia proprio da questo, prima i ricordi stanno tutti belli là in fila, i ricordi buoni e quelli cattivi, i piccoli e i grandi. Sai chi hai visto il giorno prima e cos'è successo l'ultimo dell'anno di sei anni fa, sta tutto in ordine come sul filo le perle di una collana. Poi, a un tratto, ti rendi conto che non è così, qualcosa sprofonda. La sensazione è questa, la memoria è come il pavimento di una casa, una casa di legno, piano piano alcune travi diventano marce, a vederle anche se sono ormai friabili sembrano uguali a tutte le altre, così sei sicura e vai avanti ma poi, all'improvviso, qualcosa sparisce, scompare in un piano dove non puoi più raggiungerla, cede quell'asse e tutte le cose intorno, come risucchiate finiscono dentro. Più passano gli anni più aumentano le voragini, è tutto un girare di mulinelli, ti muovi con sempre più cautela tra quei gorghi, per un errore minimo anche quel poco che ancora conservi può finire dentro.

Allora è il buio, no? È il buio ma tu ancora vivi, questo è il più tremendo, la cosa che fa rabbia. Che il cuore e la pancia vanno avanti, possono andare avanti per anni quando tu non ci sei più.

Le persone intorno ti curano, ti danno da mangiare le cose migliori. Quando ti sporchi ti puliscono come un bambino, ti parlano come un bambino anche; fanno di tutto per il tuo cuore, la tua pancia, fingono che gli importa più di tutto che quegli organi vadano avanti. Ogni tanto penso, l'unica fortuna di tutta la mia vita è questa, che sono vecchia e sola al mondo, nessuno si prenderà cura di mandare avanti le mie viscere. Ti ricordi la signora G.? L'hai conosciuta? Pensa che da tre mesi i figli la devono tenere chiusa a chiave in casa. Ogni mattina si alza, va in cucina, chiede: dov'è la merenda? poi saluta tutti, dice: – Ciao, ciao, io vado a scuola... –. Capisci? Meglio che ti trovino i pompieri distesa sul pavimento. Vedi, ogni tanto, quando sto qui sola l'intero pomeriggio seduta in poltrona, vedo la luce diventare via via più fioca, la penombra avvolge la stanza e poi scende la notte e io sto qui, sotto questa lampada, leggo qualcosa, le poesie preferite, leggo un poco poi le metto giù perché mi stanco e con gli occhi chiusi penso, mi dico, ecco, sicuro, l'anima esiste.

Ma poi mi telefona la signora G., dice: – Sono così contenta, oggi ho preso otto in aritmetica, vieni da me a fare i compiti? – e allora mi chiedo, se c'è, dov'è l'anima della signora G.? Se ne è già andata in alto e aspetta che il corpo la raggiunga? Oppure non c'è, non c'è mai stata, tutto è cuore, intestino, lingua. Se comincia dove comincia? Se finisce, quando finisce? Sopravvive dove? C'è un deposito? Va da un corpo all'altro come un cane alla ricerca del padrone? Sono cose che non bisognerebbe chiedersi, no? Bisognerebbe credere, non scavare. Eppure io ho sempre avuto questo vizio, non riesco a togliermelo. Sono ipocrita, dovrei dire: l'anima non c'è e va bene così; invece dico, mi piacerebbe che ci fosse, forse c'è ma non la riesco a vedere, non capisco come va da una parte all'altra. Si stacca? Si scolla e si incolla? È fatta di palline e rotola?

Sai, quand'ero piccola mio padre ci teneva molto al sabato, voleva che fosse rispettato. Così, dal tramonto di venerdì al tramonto di sabato smettevamo di fare qualsiasi cosa. A me piaceva molto, era un po' come quel gioco, non so se si fa ancora, le belle statuine, si cammina, si cammina e poi a un ordine si resta tutti fermi. La mattina del sabato poi c'era quest'abitudine, io e lui andavamo a fare una passeggiata per la città da soli. Allora, lui, tenendomi stretta per mano, mi diceva: – Guarda, vedi, è tutto doppio. Lo sai perché? Perché oggi, solo oggi, vedi con due occhi, con gli occhi tuoi e con quelli dell'anima –. Era una specie di magia, un incanto. Da bambini si adorano queste cose, sarebbe bello amarle anche da grandi. Comunque non era un'idea, era vero. Il sabato sentivo rumori fruscii bisbigli che la domenica o il mercoledì non sentivo mai. Vedevo tutto doppio, da una parte c'era il corpo che stava fermo, dall'altra qualcos'altro che andava avanti, si muoveva tra gli oggetti svelto come un pesce, come un'anguilla agile e velocissima. È strano, no, ma in quei giorni mi sembrava di essere più leggera, di non aver peso. L'hai provata anche tu questa sensazione quand'eri in Israele? Allora puoi capirmi, puoi capire cosa dico. Ogni tanto ho questa fantasia, la fantasia di essere un grande uomo politico, un capo di stato o qualcosa del genere. Sai cosa farei se lo fossi? Mica grandi leggi, rivoluzioni, no, imporrei soltanto un giorno di riposo obbligatorio per tutti, non di ferie, c'è già, ma di riposo proprio. Sono sicura che dopo un po' tutti starebbero meglio. Vedi, il sabato, persino mia madre era quieta. Si sedeva in una poltrona vicino al grammofono e rimaneva lì per tutto il tempo. Muoveva le mani piano, oppure cantava canzoni da bambini a voce bassa. Per quanto mi ricordi non è mai successo che di sabato avesse una crisi violenta. Gli altri giorni, sì, le aveva. Le aveva più forte di tutto ai cambi di stagione, tra l'inverno e la primavera, tra l'estate e l'autunno. La sua idea fissa era questa, pensava di avere dei virus nel cervello, stavano là dentro e glielo facevano scricchiolare, lo sbocconcellavano piano piano. L'unica salvezza veniva dalle api, solo loro, con i lunghi pungiglioni avrebbero potuto a uno a uno tirarli fuori, li avrebbero aspirati come trivelle, avrebbero perforato tutto, i capelli, il cuoio sottostante, la calotta del cranio, sarebbe stata una caccia selvaggia, spietata ma alla fine gli insetti buoni avrebbero vinto e lei sarebbe stata per sempre salva. Infatti me la ricordo così, in piedi davanti alla finestra, stava lì con i capelli sciolti e chiamava gli sciami a voce alta. No, non era nata pazza, naturalmente, altrimenti mio padre non l'avrebbe mai sposata. Anzi, a sentire i nonni, era stata una ragazza dolce e arrendevole quanto poche altre. Tutto è cominciato per colpa mia, perché sono nata. È andata così – me l'hanno raccontato quand'ero grande – due ore dopo il parto ha iniziato a sentirsi sporca, voleva lavarsi e lavarsi e quando mi vedeva gridava: – Portate via quello sgorbio!

Poi i medici hanno detto che sarebbe successo comunque, per una cosa o per l'altra, ma a me che me ne poteva importare? Intanto io ero là, ero nata ed ero figlia di una pazza. Una specie di marchio, capisci? Una cosa che mi ha fatto vivere di meno. La sentivo sempre lì, in agguato. Anche tu hai avuto paura di diventare pazza? Penso che prima o poi capiti a tutti, è normale per come va la vita. Per me, però, vedi, è un'altra cosa. Sapevo, anzi so, che il suo sangue è mescolato al mio e quella cosa mi vortica dentro, qualche volta di notte mi capita persino di sentirla, va avanti e indietro per le vene e mi parla, dice vieni, su, vieni dalla mia parte. La settimana scorsa ho visto alla televisione un documentario sugli alberi giapponesi, quelli nani. Che cosa orribile, solo ai giapponesi può venire in mente! Comunque, sai come li fanno? Sono alberi come tutti gli altri, di ogni tipo, meli, pini, ulivi. Nel seme sono uguali cioè hanno la stessa forma, le stesse foglie, gli stessi colori, tutto insomma; potrebbero, anzi dovrebbero crescere ma non possono perché c'è sempre qualcuno che li sorveglia, li taglia di qua, di là, che li comprime, li costringe a restare bassi. Così, io, io da sola mi sono sempre costretta a pensieri piccoli piccoli, alla mediocrità. Ricordo benissimo, ad esempio, che nell'adolescenza, sai, quando per natura si è portati ai pensieri grandi, qualche volta d'estate tornavo la sera tardi a casa, camminavo sul lungomare e sentivo sopra di me il cielo stellato, stava là sopra disteso con tutte le stelle come un grande lenzuolo, una cosa che avvolge, sapevo che c'era e anche ch'era bello, bellissimo ma non alzavo mai il capo, mi imponevo di non alzarlo. Avevo paura, capisci? Paura del buio, del silenzio, delle luci lontane, paura di quella cosa che stava in agguato. Per anni sono andata alla spiaggia senza mai entrare in acqua, non ho mai letto un libro se il contenuto non mi era stato riassunto prima.

Mio marito? L'ho conosciuto nell'adolescenza, da quando l'ho conosciuto le cose sono andate un po' meglio. In quel periodo mia madre era ricoverata in una clinica. L'andavo a trovare di rado. È il senso della vita, no? Si pensa al futuro. Lui era appena laureato in legge, aveva il passatempo – mi pare si dica hobby adesso – della scultura, un uomo adatto a me insomma, un uomo forte e tranquillo. Allora avevo in mente il matrimonio, i bambini, la mia parte di mamma. Proprio in quei mesi sono cominciate le prime manifestazioni.

Ricordo benissimo un pomeriggio di marzo. È strana questa cosa della memoria, no? Non so niente di quello che mi è successo ieri, e invece le cose vecchie le ho davanti agli occhi come se succedessero adesso. Mio padre e io stiamo lì, in salotto, con le finestre aperte; lui accorda il violino e io leggo. A un certo punto passa un corteo e grida forte in tedesco: – *Juden raus!* –. Allora metto giù il libro e chiedo a mio padre: – Ma cosa dicono? –. E lui, senza mollare lo strumento: – Dicono *Jugend raus*, fuori la gioventù –. – Perché? – dico io. – Perché è giusto – risponde lui – hanno ragione, la gioventù deve andare fuori, divertirsi...

Capisci? Si rifiutava di saperlo. Tradire la fiducia in Dio era peccato, credo ci fosse questo dentro.

Molti anni più tardi, quando tutto era successo, ho pensato: Dio non c'entra niente, forse neppure c'è; se anche esiste è impegnato da qualche altra parte. Non è lui che soffia i virus nelle teste, non è lui che le sbilancia ma la sua controparte.

Anch'io comunque ho stentato a rendermene conto. Sai perché? Un po' per la sua influenza, un po' perché ero convinta che l'avere una madre pazza mi scagionasse da qualsiasi altro male. Insomma, se c'era un prezzo da pagare al dolore io l'avevo già pagato, ero a posto, non poteva succedermi altro. Allora mi occupavo del corredo, della festa di fidanzamento, aspettavo le visite del mio futuro marito. Vivevo così, come tutte le ragazze di quell'epoca. In primo piano c'eravamo noi due, i nostri progetti, in secondo, in terzo, in quarto, molto lontano la storia. Come potevo immaginare che proprio lei ci avrebbe travolti?

Sai, ogni tanto, adesso, mi capita di parlare con delle persone giovani come te e allora capisco che voi siete molto meglio. Voi leggete, vi informate, vi guardate intorno con uno sguardo a cui non sfugge nulla. Sono contenta di questo, penso, bene, così non succederà un'altra volta. Ai nostri tempi era diverso, c'erano le grandi cose, la religione, Dio, l'anima e poi quelle piccole di ogni giorno. Mancavano, come dire? le cose intermedie.

Quando mia madre fu ricoverata erano già giunte strane notizie dalla Germania, notizie che non si potevano credere. E mio padre infatti non ci credeva. Anche quando alcuni dei suoi amici partirono per la Palestina continuò con la sua testardaggine. Sai cosa diceva? Diceva: – La gente si agita per poco! Non abbiamo mai fatto del male a nessuno, perché mai ci dovrebbe succedere qualcosa? –. Parlava così e io, naturalmente, mi sforzavo di seguire il suo pensiero.

Buffo, no? Adesso, rivedendo tutto, capisco che è stato proprio grazie a mia madre che ci siamo salvati. Forse l'ho capito ieri, per questo senza saperlo sono scoppiata a piangere. Ieri ha capito il cuore, oggi la testa. Va tutto così, a rilento. Te l'ho detto, stava in una clinica già da tre anni quand'è successo. Il male era peggiorato, non era più possibile tenerla a casa. Lì nella clinica comunque, all'improvviso era diventata mite, stava quasi sempre a letto e con fischi brevi e lunghi, un linguaggio inventato da lei, chiamava le sue amiche, le api. Qualche volta muoveva anche le braccia in alto, le agitava come per invogliarle. L'immagine che mi è rimasta è proprio questa.

L'hanno portata via in un mattino di maggio, noi non sapevamo niente, io sono arrivata lì da lei con dei fiori in mano, voleva sempre i fiori per le api, e ho trovato il letto scomposto e vuoto. Non era al bagno, non era nell'ambulatorio, chiedevo ai medici con sempre più voce: – Dov'è? –. E loro mi guardavano fissi senza dire niente. Arrivando nel cortile avevo incrociato un camion tedesco, un camion tutto chiuso, con un soldato alla guida. L'avevo visto ma non vi avevo fatto caso. Solo dopo, andando avanti e indietro per i corridoi, vedendo quanto letti all'improvviso erano vuoti, a un tratto ho avuto il sospetto, anzi ho capito proprio, sono uscita di corsa, quando ho raggiunto il cortile il camion ha acceso i motori, ha cominciato a muoversi. L'ho inseguito urlando, i fiori cadevano da una parte e dall'altra, li vedo ancora benissimo quei fiori sull'asfalto, non è servito a niente. Nei giorni seguenti l'abbiamo cercata dappertutto, papà ha mosso tutte le amicizie influenti che poteva muovere, non siamo riusciti ad avere neanche uno straccio di notizia. Sparita, scomparsa per sempre. Il programma eugenetico. Ne hai sentito parlare, no? Prima ancora degli ebrei andavano eliminati i minorati, i pazzi. Qualcuno poi, nelle settimane seguenti, ci ha detto, per vie traverse, che era finita in Germania, che era finita lassù per il progresso della scienza, per fare degli esperimenti. Invece qualcun altro ci ha detto che l'avevano eliminata già in città, con il tubo dello scappamento dello stesso camion. Mi vergogno a dirtelo ma ancora adesso non so dov'è, il suo corpo, insomma quello che resta. Dopo la guerra sono usciti degli elenchi dettagliati, avrei potuto procurarmeli, leggere tutti i nomi, ma non l'ho fatto.

Se lo facessi tu? Le liste sono ancora disponibili così prima che muoio me lo dici. Io no, per carità, non ci penso neanche. Concedimi questo piccolo lusso, per una volta almeno di non vedere, di essere vigliacca.

Il dolore, sai, quella volta, non ha fatto in tempo ad arrivare, è rimasto lì fermo come in una foto. All'improvviso ci era capitata quella cosa, avevamo capito che tutto era vero. Prima di tutto dovevamo pensare a noi stessi, capisci, a metterci in salvo. La mamma, la sua fine, è rimasta dentro, un piccolo blocco di cemento laggiù sul fondo. Insomma, sapevo che mia madre era morta, sapevo di non sapere dov'era morta ma lo sapevo come un dato, una notizia, non con il cuore. Poi ieri, con quell'intervista, si è rotto qualcosa e lei è venuta fuori, è uscita non dalla bocca ma da lì, dal cuore. Questa notte, te l'ho detto, non ho dormito quasi per niente. Vicino a me sentivo il corpo di mia madre, quel corpo di uccellino. Sentivo la sua voce cantare la canzone delle api. Sai cosa mi fa soffrire più di ogni altra cosa? Non averle potuto tenere la mano negli ultimi istanti. Chiudo gli occhi e subito mi viene l'immagine di lei con la camicia da notte indosso sballottata in quel camion, buttata giù come fosse un pacco, penso al suo sguardo vuoto, innocente e allora... Allora basta, finiamola, la finisco, non voglio piangere ancora, davanti a te. Però vedi, se lei non fosse finita a quel modo, noi ancora per molto avremmo continuato a non credere allo sterminio e poi sarebbe stato troppo tardi. Per questo ti dico: lei ci ha salvati. Avevamo quell'idea, l'idea che fosse lì soltanto per pesare, per rendere le nostre vite difficili e invece, vedi, forse era venuta al mondo, aveva vissuto con tutto quel carico di sofferenza unicamente per questo, per permettere a noi di vivere ancora, di andare avanti.

Da qualche parte esiste un rendiconto? Le entrate, le uscite, gli azzeramenti? È come con l'anima, qualche volta mi dico di sì, qualche volta di no. Penso a mia madre, al senso del suo sacrificio e credo di sì, ma poi mi dico che rendiconto è il rendiconto che fa morire un innocente? Nessuno sceglie, nessuno decide, non c'è nessun rendiconto, niente. Le cose vanno avanti e basta.

Adesso basta davvero, comincio a dire sciocchezze, cose che non so. Ti ho rattristato, vero? Non so cosa mi sia successo, non ho mai parlato tanto, in questo modo poi. Deve essere colpa della notte insonne, credo, le parole mi scappano avanti e non riesco più a fermarle.

Parliamo di te, anzi, parla tu, raccontami qualcosa di bello. Cosa fai stasera quando vai via di qua? Vai a ballare?

Guarda che guance rosse! C'è vento forte oggi, no? Non sei vestita un po' leggerina? Non ridere, sono così, non smetto mai di fare la mamma, le mamme ebree, si dice eh? Terribili. Per piacere, vai tu in cucina ad accendere il thè, la teiera è già sul fuoco, pronta. Ti aspetto in salotto, è più caldo.

Come ulula, lo sento persino io che sono sorda. È stupido ma il vento mi mette sempre una strana allegria, un'allegria da bambina. Deve essere per questa idea, che passa nella testa e porta via i pensieri. Nelle giornate così, con mio marito, quand'eravamo fidanzati andavamo sempre lassù, sul Carso.

Sul bordo dell'altipiano c'è una piccola sella, non so se la conosci, se ci sei mai stata. Lì il vento soffia più forte che da qualsiasi altra parte, si raccoglie in quel punto prima di esplodere sulla città. Stavamo lì per ore e ogni volta che arrivava una raffica forte ci lasciavamo andare a peso morto, la bravura stava nel non cadere quando all'improvviso cessava il vento. Proprio questa mattina, mentre ero ancora a letto e sentivo tutto intorno sbattere, mi sono venuti in mente quei pomeriggi e all'improvviso sai cosa mi è successo? Ho desiderato di andare lassù. Dai giorni del fidanzamento non ci sono mai più tornata. Il perché lo puoi capire, mi conosci ormai, non voglio ricordare niente. Invece questa mattina, mi sono meravigliata io stessa, ho pensato, sì voglio andare lassù, voglio vedere la sella coperta d'erba, voglio sentire il vento gelato sulla faccia, nel naso, sulle orecchie. Per un'ultima volta, voglio vedere tutto.

Perché dico ultima? Perché è così, lo sento. Sarà capitato anche a te, no? Fai un viaggio, sei in un bel posto ma poi viene il momento di partire. Allora cosa fai? Vai nel punto che ti piace di più e ti fermi a guardarlo. È un modo per tenere le cose dentro, le metti in una specie di valigia segreta. Così viene un'età in cui all'improvviso desideri questo, a me capita da circa un paio di mesi. Naturalmente non mi muovo, non vado da nessuna parte, non mi è possibile per la salute, per i soldi, ma mi piacerebbe sì, vorrei andare in quei posti, salutare per un'ultima volta tutte le cose, quelle che mi hanno visto vivere. C'è quella poesia, di chi è? di Rilke se non mi sbaglio o mi sbaglio? Insomma c'è una poesia che esprime benissimo questo sentimento. Ricordo un pezzo in tedesco, due righe appena, quali? No, non riesco a dirlo, non posso più. Pensare che mi piaceva tanto, più che piacere era la mia prima lingua, ancora adesso non credo che per la poesia ce ne sia una migliore.

Sai, Bruno, mio marito, aveva quest'abitudine, imparava a memoria le più belle. Diceva, sono come carezze per l'anima, bisogna sempre averle a disposizione, dentro. Le poche strofe che ricordo me le ha insegnate lui, neanche da giovane avevo una buona memoria. Quando è tornato da lassù mi ha detto, grazie a loro mi sono salvato, sono riuscito a salvarmi. Le ripeteva nei momenti più brutti, capisci? Quando non doveva essere altro che una bestia le recitava in silenzio, nella sua testa, era un tesoro che nessuno poteva togliergli.

Com'è successo? È successo che stavamo nascosti in un appartamento, eravamo già sposati e eravamo lì, mio padre era riuscito a imbarcarsi per la Palestina, noi dovevamo partire con la nave dopo. Quella casa ce l'avevano messa a disposizione degli amici di papà, era un appartamento all'ultimo piano di un palazzo vicino alla stazione. Vivevamo da clandestini, chiaro, con le finestre sempre chiuse. Per muoversi aspettavamo che si muovessero gli inquilini del piano di sotto. Eravamo diventati bravissimi, parlavamo sottovoce, camminavamo al buio, sempre scalzi. Per tirare il nostro sciacquone attendevamo che tirassero il loro, per confondersi tutti i rumori dovevano essere uguali, dovevano combaciare. Siamo rimasti lì tre mesi, era la nostra luna di miele. Poi è successo che un mattino in cui tutto sembrava tranquillo lui ha deciso di uscire, di andar fuori a cercare notizie della nave. Io stavo dietro la finestra, gli scuri erano di legno, un po' rotti. Vedevo tutto benissimo, l'ho visto uscire con il cappello in testa, attraversare la piazza. A metà gli si è avvicinata un'auto, un uomo è sceso, hanno parlottato un istante, l'ha preso per un braccio, l'ha trascinato dentro. Non si è voltato a guardarmi, non voleva tradirmi, capisci, ma io il suo sguardo, i suoi occhi in quell'istante li ho visti lo stesso. Ancora non so quanto tempo sono rimasta lì ferma, ferma come una bestia braccata. Avevo sentito i segugi intorno. Li stavo aspettando, non ricordo cos'ho pensato in quelle ore, non ero io. A un tratto il mio corpo, la mia testa si erano trasformati. Ero diventata uno di quegli animali che dormono sotto il ghiaccio. Come si chiamano? Le marmotte? Sì, ecco ero diventata una marmotta. Poi è venuto il buio, mi sono mossa, ho pensato cosa faccio? Mi veniva in mente solo questo, avevano preso lui, molto presto, prestissimo sarebbero venuti a prendere anche me. Stavo in un angolo della stanza, con la faccia contro il muro e mi lasciavo cadere in ginocchio. Piano piano senza fare rumore piangevo per ore. Quella mattina l'avevo salutato come sempre, con un po' di fretta anche. L'avevo salutato così perché non sapevo, non potevo neanche immaginare che sarebbe scomparso. Allora avevo quel rimorso, il rimorso di non averlo stretto di più, di non averlo fissato con gli occhi negli occhi. È anche un po' sciocco, no? Ci eravamo frequentati per tanti anni come potevo dimenticarlo, dimenticare la sua voce, il suo corpo? E invece quel fatto, il fatto che non avevo potuto salutarlo, dirgli ciao o arrivederci, sapendo che era l'ultima volta mi faceva piangere. Avevo paura che presto l'avrei scordato, l'avrei confuso con altre persone.

Avevo paura per me? No, non me ne importava niente. Volevo che tutto finisse il prima possibile e basta. No, la morte non mi faceva nessuna impressione, anzi... Lo sai, poi sono andata in quel convento, è stata l'organizzazione clandestina a coordinare tutto. Sono uscita l'ultima notte di carnevale, l'avevamo aspettata apposta, per la confusione. Nascosta in un furgoncino ho raggiunto un convento vicino ai monti, sono rimasta là fino alla fine della guerra. Due mesi dopo ho avuto notizie di Bruno. Non l'avevano ucciso, era ancora in Italia, in un campo di raccolta, non si sapeva quando sarebbe partito.

Allora sì, ho ritrovato le forze, quelle forze che non credevo di avere più. Pensavo solo a liberarlo, a farlo uscire presto, prima che partisse. Era estenuante, però. Ogni giorno mi veniva lo sconforto, avevo paura di non farcela. C'erano giorni e giorni, settimane vuote. Facevo la vita delle suore con tutti i loro orari, passeggiavo nei corridoi o nel chiostro. C'era una piccola fontanella di cemento con una madonna sopra e i pesci rossi dentro. Mi guardavano quei pesci e li guardavo anch'io, pensavo all'ultima notizia che avevo avuto e a quella inutilmente attesa. E poi, lo sai come succede no? Ti sarà capitato durante una malattia o un viaggio? Pensi, pensi, non puoi parlare con nessuno e così, dopo un po', non sai più cos'è vero e cosa no, diventi incerta su tutto. Avevo il sospetto che mi imbrogliassero, capisci? che per pena mi dicessero cose che non erano vere. Invece un giorno, che mese era? maggio credo, sull'altare c'era un gran mazzo di papaveri e fiordalisi, sì un giorno di maggio, in codice mi viene recapitata la notizia che aspettavo. Il piano, insomma, era ormai pronto nei minimi particolari, prima della fine del mese Bruno sarebbe potuto fuggire.

Quel giorno sai cosa ho fatto? Sono andata da sola nella cappella e in ginocchio, come un bambino, ho detto: – Dio ti ringrazio!

Ma cosa so, cosa capisco, cosa ringrazio? Mai un punto fermo, una legge che valga, ogni ora me ne invento una e ogni ora vengo smentita. Dico è la legge di Dio, è il destino, è il senso della colpa, il suo riscatto, aspetto che tutto succeda e succede il contrario: un po' come se sempre valesse una nuova legge, una legge che non ti aspetti. Così con il male, credevo di aver pagato la mia colpa. Invece non è finita. Come ti volti sei colpito. Vivere è questo, sai: siamo come dei vermi scoperti nella terra da una vanga, la luce all'improvviso ci viene addosso, ci dimeniamo come matti, gli uccelli sono attirati dal nostro movimento, ci si gettano sopra, divorano qualcuno sì qualcuno no, ci si dimena ancora per un po' poi la vanga getta dell'altra terra, ci ricopre ed è di nuovo buio, silenzio, stiamo fermi. Mi trovi troppo pessimista? La speranza, dici? Cosa me ne faccio? Ho guardato la vita con i miei occhi, l'ho seguita tutta e adesso che sono vecchia e mi guardo indietro so di cosa di tratta.

Insomma, vedi, pare incredibile ma Bruno non ha voluto fuggire, si è rifiutato. Poteva, il piano era pronto, perfetto; i rischi ridotti al minimo. Poteva, ma non l'ha fatto. Ha detto, grazie no, rimango. Non ho mai saputo perché, anche quand'è tornato non ho avuto il coraggio di domandarglielo. Io me lo sono chiesta tante volte, sì, e sai cosa penso? quella reazione faceva parte del suo carattere, era un uomo integro, leale, la sua vita era tutta lì, nella lotta contro le ingiustizie. Allora ecco, forse non voleva nessun privilegio, neanche il proprio: vivere mentre tutti gli altri andavano a morire. Aveva fiducia nel destino, più che fiducia, fede. Se il destino gli proponeva la morte, la morte più atroce, lui la accettava, senza fare domande. Ancora non so dire cos'è una cosa simile. Coraggio? Vigliaccheria? Sai come sono fatta, un giorno penso una cosa, un giorno un'altra. Comunque in questo mi dai ragione, no? Seguire il destino è più comodo, non bisogna mai chiedersi niente, mai scegliere.

Ma tutto questo, capisci, tutto questo era una cosa grande che stava sopra la mia testa. Io come potevo sentirmi? Avevo un marito, un marito che amavo e quel marito, tra me e il destino preferiva il destino. Allora io cos'ero? Niente, un accessorio.

Sono cattiva a parlare così, no? Eppure, non lo posso negare, rimasi molto delusa, mi sentivo tradita. Non c'era più tempo per me, tutto era immobile, le giornate in convento, una uguale all'altra. Mi era impossibile pensare che sarebbe tornato, la vita aveva preso quella piega e l'avrebbe seguita fino in fondo. Certo, qualcosa sarebbe successo, un giorno sarebbe finita la guerra, sarei stata di nuovo libera, ma cosa me ne importava? Avevo impiegato un anno intero per fare il mio corredo. Avevo ricamato tutte le lenzuola, le federe, le tovaglie e stavano ancora lì, nella cantina di mio padre, chiuse in casse di cartone, legate strette con lo spago.

Dalla finestra della mia cella si vedevano solo

campi, erano coltivati a grano. Nei pomeriggi di estate, sai tra le due e le tre, in quell'ora terribile in cui non si sa cosa fare, mi mettevo lì e li guardavo. Può essere tremenda la bellezza, no? Può fare paura più di qualsiasi altra cosa, orrore. I campi stavano fermi, assolutamente fermi, sicuri di sé, non c'era un filo di vento, tutta un'onda d'oro, compatta che andava da lì su su fino all'orizzonte. Perché ti dico questo? Per le cicale, sì. Per quel loro rumore, frinio si dice? Sì le rondini garriscono, le cicale friniscono, giusto. Sentivo quel rumore fortissimo e ogni quarto d'ora le campane del convento. Sentivo dei colpi lenti, uno dietro l'altro, e il ronzio di qualche mosca. Quegli insetti mi svolazzavano intorno alla faccia per succhiare le gocce di sudore e allora, allora... Come sono arrivata qui? Ecco, ho perso il filo... La natura, sì.

Vedi, adesso va tanto di moda salvare ogni formica che vive. Tutte le mattine apro il giornale e leggo quell'albero sta sparendo, le rane sono pochissime, c'è un buco lassù nel firmamento, un buco enorme. Leggo tutte queste cose e non capisco, non capisco come ci si possa affezionare, amarle. A te piace la natura, è vero? me l'hai già detto un'altra volta, non so perché ti piaccia, per me la natura è questo: insulto, sfacciataggine.

Dov'eravamo rimaste? Al convento? Sì, ho vissuto con le suore tre anni interi, non avevamo molto da dirci ma erano gentili, del resto per loro era già un grande rischio tenermi là dentro. Aiutavo in cucina, nell'orto, davo da mangiare alle galline, non volevo essere di peso. Quel tipo di vita dopo un po' ti fa uno strano effetto, diventa una specie di anestesia.

Così, quasi senza rendermene conto, a un certo punto ho fatto un giuramento – no, come si chiama? un voto – ho fatto un voto tra me e Dio, il primo e l'unico da quando sono nata, gli ho promesso che alla fine della guerra sarei rimasta tra quelle mura, avrei trascorso il resto della vita chiusa là dentro, in umiltà, lontana dagli sguardi. Volevo espiare, pensavo quella volta. Adesso penso che era ancora vigliaccheria, volevo un posto riparato e basta.

Le suore per fortuna non lo sapevano, era una storia tra me e Lui, privata, almeno davanti a loro non ho dovuto vergognarmi quando l'ho rotto.

Sai quando sono tornata a casa, cos'ho pensato? Ho pensato, bene, in fondo non ho violato nessun voto perché l'ho fatto con il Dio dei cristiani, mentre il mio Dio è un altro. Capisci? Come se Dio presidiasse solo una circoscrizione, quella circoscrizione e non un'altra. Temevo una vendetta, certo, lo sai com'è irascibile il Dio della Bibbia. Quella paura è durata poco comunque, c'era la vita da ricominciare da capo, bisognava ricostruire tutto. Con gli ultimi convogli di sopravvissuti Bruno era tornato.

Perché non mi racconti mai dei tuoi amori? Non ne hai? Non ci credo. Com'è possibile? Sei bella, un cuore ce l'hai, no? Oppure no? Alle volte vieni qui, mentre parliamo ti osservo e mi fai paura. Paura no, mi inquieti. Non capisco mai cosa c'è dietro il tuo sorriso, dietro gli occhi. Ogni tanto mi dico: ha un cuore grande, è buonissima, ogni tanto vedo una luce nel tuo sguardo e penso il contrario. Ma poi, perché me lo chiedo, cosa importa? Vieni qui e mi ascolti.

Ti sei portata da cucire oggi? Scusa, ma mi fa da ridere vederti così, con l'ago e il filo in mano, non credevo fossi capace. Ci provi? Che brava, io non ci sono mai riuscita, non ho mai saputo fare niente nella mia vita, giusto cucinare qualcosa, i piatti più semplici. Mia madre era pazza, mio padre pensava che avrei avuto delle persone di servizio. Così, quando avevo l'età nessuno mi ha insegnato niente. Si impara da soli? Può darsi. Sì, con la volontà si fa tutto ma io, sai, non ho mai avuto spirito di iniziativa. Credo sia un po' colpa dell'educazione, tante volte guardo i nipoti delle mie amiche, ascolto come parlano tra di loro o con i genitori e mi dico, ecco, non si rendono neanche lontanamente conto di che vita facile hanno. Al tempo in cui io ero bambina si era abituati a obbedire, non dico che si avesse paura, non almeno nel mio caso, ma timore sì. Si aveva un gran timore dei genitori, dei genitori e poi anche del marito. Era il proseguimento di una storia, ci si voleva bene ma non si osava discutere niente.

In ogni caso con Bruno sono stata fortunata. Per quei tempi era un uomo molto aperto, mi lasciava decidere le cose liberamente, mi lasciava in teoria perché io in realtà non decidevo niente.

Sai, quand'è tornato è stato duro. Ci avevo messo tre anni per convincermi che non l'avrei mai più rivisto. In realtà non avrei dovuto convincermi, avrei dovuto sperare sempre, ma io sono così e basta. Mi ero convinta che era morto, invece da un giorno all'altro me lo sono trovato a casa. Dovevamo cominciare la nostra vita da marito e moglie, quella vita che non avevamo mai fatto. Lui aveva ventisei anni, io appena ventidue; soltanto ventidue, capisci? A dire il vero non so quanti anni avevamo, ci sentivamo così vecchi, così stanchi... Ogni tanto, la sera quando stavamo a casa lo guardavo mentre dormiva in poltrona con la radio accesa ed ero presa da un senso d'irrealtà. Credo che succedesse anche a lui.

Non gli ho mai fatto domande, pensavo che non fosse giusto. Lo ascoltavo quando parlava, ma parlava di rado. Era il fantasma, l'ombra dell'uomo che avevo sposato. Sì, può darsi che anch'io fossi diversa, quei tre anni di solitudine avevano fatto qualcosa dentro. Non so però come fossi cambiata, quando si sta sempre con se stessi è difficile accorgersene.

Comunque, tanto Bruno durante il giorno era tranquillo, tanto di notte era agitato, era un vero inferno la notte. Spesso la mattina dovevo rammendare le lenzuola perché erano rotte. Era lui che le rompeva. Si muoveva come se avesse la scossa dentro, gli saltavano le braccia, le gambe, digrignava i denti. Non sapevo mai cosa fare, cioè non sapevo mai se svegliarlo o meno. Stavo seduta sul bordo del letto e lo guardavo, ascoltavo le sue frasi per capire qualcosa. Volevo aiutarlo ma non sapevo come. Gridava sempre in tedesco, gridava ordini. Per questo, te l'ho già detto no? non riesco più a parlarlo. Dopo la guerra, soprattutto negli ultimi anni, sono usciti tanti libri su quest'argomento, libri di sopravvissuti, di psicologi, di storici. Li ho visti sui banchi delle librerie, li ho sempre lasciati lì.

Non voglio sapere, non mi interessa, per me è tutto là, in quelle grida di notte, nelle lenzuola fatte a pezzi.

L'altro giorno, per la strada è successa una cosa strana, una cosa che non mi era mai successa prima. Ero andata all'isolato accanto a comprare del latte. Piano piano, con la velocità che mi consentono le mie gambe stavo tornando verso casa. Per l'artrite, lo sai, cammino con la testa bassa. Ecco ero a metà circa del marciapiede quando mi sono accorta che dall'asfalto crescevano delle piante, delle piante brutte, di città. Venivano fuori da crepe strettissime, con prepotenza, erano vigorose, forti.

Non so cos'è accaduto. Mi sono trovata in ginocchio. Stavo lì per terra e le strappavo tutte, le tiravo fuori a una a una e gridavo: – Via, via, maledette! –. Soltanto quando un signore mi ha sollevata per un braccio, quando mi sono rimessa in piedi, ho capito dove mi trovavo, cosa stavo facendo. In quel momento, naturalmente, mi sono vergognata da morire, mi sono allontanata più in fretta che potevo, con l'aria di una ladra.

Ci ho ripensato tutto il pomeriggio, tutta la notte. Perché mai dovevo strappare quelle piante, piante brutte sì ma che non mi avevano fatto niente? Cos'era successo nella mia testa? Alla fine credo sia questo, la loro disperata tenacia mi ha dato sui nervi. La vita è prepotenza. Vuole andare sempre avanti e ci va, è incurante di tutto, scavalca i sentimenti.

È una legge naturale, dici? Bisogna salvare il patrimonio genetico, propagarlo? Appunto, e cos'è questa? Sfacciataggine, te l'ho detto.

Così per me e Bruno. Avremmo dovuto dissolverci, sparire nel nulla, magari rinascere da un'altra parte come dicono gli indiani e avere una vita tutta dritta, tranquilla. Invece no, eravamo lì stanchi, non sapevamo cosa dirci, le forze ci bastavano appena per arrivare alla sera. Eppure qualcosa ci impediva di lasciarci andare. Anche se non ne avevamo voglia qualcosa continuava a spingerci avanti, a trascinarci. Appena ristabilito in salute Bruno cominciò a pensare al lavoro. In un paio di mesi trovò uno studio notarile disposto a prenderlo come socio e così la nostra esistenza divenne presto l'esistenza banale e quieta di una giovane coppia borghese. Ma non era vero, capisci? Sopra di noi, dentro di noi c'erano quei tre anni terribili. Certo i suoi erano stati più tremendi dei miei. Ogni tanto quando eravamo a tavola lo guardavo mangiare. Mangiava come una bestia, con gli occhi nel piatto, svelto. Più che mangiare divorava, come se avesse paura che fosse l'ultima volta, come se temesse che qualcuno più feroce gli portasse via tutto. Quel suo modo di fare rimbalzava in me. Così eravamo insicuri di tutto.

Non dico che il suo carattere fosse diverso, no. Era sempre l'uomo integro e forte che avevo conosciuto, però qualche volta dava in escandescenze. Se tornava a casa e il pranzo non era pronto, gridava come un pazzo, rompeva tutto. Allora io non sapevo in che modo comportarmi. Volevo aiutarlo, essergli vicino ma avevo anche paura. Dopo quei momenti diventava all'improvviso quieto, se ne stava lì in poltrona a guardare il vuoto, oppure usciva di casa, spariva per ore. Credo che si vergognasse, non era da lui comportarsi in quel modo. Tante volte, sai, dopo quelle scene, quand'ero sola a casa mi chiedevo: perché non sono andata anch'io lassù, perché non siamo morti insieme? Perché lui sì e io no, perché il destino aveva fatto questa scelta, per riservarmi cosa ancora?

Naturalmente speravo che con il tempo si sarebbe aggiustato tutto. Pensavo tra me e me che se il suo corpo aveva ripreso forza, l'avrebbe ripresa anche la sua mente. Il tempo sbiadisce, scolora le tinte più forti.

Se ti dicono cose del genere non crederci mai, non è vero, è una cosa che ci si ripete per consolarsi e basta. Certo, a volte sembra che il tempo ripari, si ha questa impressione ma è un'impressione falsa, completamente falsa. Il tempo lavora sotto, è come una trivella, scava, perfora, trasforma i buchi in voragini, in abissi.

Com'è strano questo fatto, certe cose si capiscono solo da vecchi, si potrebbe vivere meglio se si sapessero prima, invece si comprende solo quando tutto è passato e non servono a niente, a muovere la lingua come faccio io con te e basta. Se le persone anziane avessero più dialogo con i giovani e se i giovani ascoltassero, forse qualcosa cambierebbe... o forse no, non servirebbe a niente. Ogni vita è una tragedia che comincia dall'inizio. Raccontare è fiato sprecato, tutti sbagliano e poi da vecchi capiscono, si pentono di avere sbagliato. L'esperienza non è niente, si rifà sempre tutto daccapo.

Dici che altrimenti sarebbe monotono? Può anche darsi ma chi ha detto che la monotonia è una brutta cosa? L'esperienza fa crescere? Non ci credo perché il mondo è sempre uguale, sono sempre gli stessi i drammi che vanno avanti. Per me sai cos'avrei voluto? L'esistenza di un albero, avrei voluto essere un cipresso, un ulivo sacro, una pianta con le radici sotto, le chiome verso l'alto. Anche le piante provano qualcosa? L'hanno scoperto in America?! No, non lo sapevo, in questo caso, ritiro tutto, non voglio essere neanche un albero, niente.

Ma è così, a ventiquattro anni, di tutto questo non avevo alcun sospetto. Il lavoro di Bruno ormai andava abbastanza bene, io mi occupavo della casa; in primavera tutti e due siamo stati presi da una strana euforia, un'euforia che avevamo provato soltanto ai tempi del fidanzamento, avevamo come uno slancio dentro, fare un figlio è stata la cosa più naturale che potessimo fare. Era la vita che riprendeva, capisci?

E infatti appena mi sono accorta di essere in stato interessante ho pensato che finalmente avevamo tracciato una linea di confine. Con quel bambino era come dire adesso basta, punto e a capo, tutto andrà in modo diverso. I primi mesi ero felice, eravamo felici. Tu non puoi saperlo ma quando una donna resta incinta, succede nel suo corpo qualcosa, una specie di ebetudine diffusa. Ogni giorno si modifica qualcosa, ti guardi nello specchio e vedi che il tuo sguardo è luminoso, bello. Ci sono anche dei fastidi, certo, ma quasi non te ne accorgi, sei radiosa, radiosa dentro perché senti che tutto si muove, che c'è un ordine e tu ne fai parte. Per me, poi, era anche un'altra cosa, speravo che la presenza del bambino avrebbe aiutato Bruno a guarire, a non guardarsi più indietro. In una situazione analoga, dei nostri conoscenti si erano tirati fuori proprio con questo, con un figlio. Perché per noi avrebbe dovuto essere diverso?

Verso l'autunno Bruno tornò cupo, ebbe diverse crisi violente. Dopo una di queste sparì da casa per due giorni interi. Ebbe quelle crisi ma io continuai a sperare, mi dicevo in fondo il bambino è qua dentro, non può vederlo. Quando sarà fuori, quando l'avrà davanti agli occhi tutto cambierà, andrà meglio.

Ho partorito in dicembre, un parto regolare. Il giorno dopo Bruno ancora in clinica mi ha fatto una foto con la bambina in braccio. Era per mio padre, volevo che anche lui sapesse che la vita continuava e che avevo avuto la forza di andare avanti. Lui, dopo la fine della guerra era rimasto laggiù, si era risposato. Viveva in un kibbutz, dalle lettere sembrava felice.

Dei primi mesi, è strano ma quasi non ho ricordi. La bambina assorbiva tutte le mie forze, il mio tempo. Non che fosse una bambina difficile, no, era tranquilla regolare. Quello che ti distrugge è che non possono vivere neppure un'ora senza di te, senza le tue cure. Durante la settimana Bruno stava sempre allo studio, non veniva a casa neanche a pranzo: solo il sabato stavamo tutti insieme. Se il tempo era bello andavamo a passeggiare sul lungomare. Non parlavamo molto in quel periodo, non abbiamo mai parlato molto, eppure tra noi percepivo qualcosa di forte, indistruttibile, qualcosa che non avevo mai provato prima. Credo fosse orgoglio, felicità, ostinazione. Sentivamo che la nostra era stata una sfida giusta, stavamo vincendo insomma... Bastava guardare la bambina per esserne certi, era ogni giorno più vivace, più allegra. Sembrava non aver sofferto per niente di tutto quello che c'era stato prima. Bruno era innamorato di lei, appena poteva la prendeva in braccio. A quel tempo, sai, era una cosa strana, i padri non stavano mai con i figli piccoli, lasciavano tutto alle donne, avevano paura di fargli male, di sporcarsi. Di solito cominciavano ad accorgersi di avere un bambino quando andava a scuola. Bruno però era diverso, si era subito innamorato di sua figlia, le stava sempre intorno.

Come mi sentivo lo puoi immaginare, no? Per la prima volta da quando avevo memoria non vedevo nubi intorno, davanti a me c'era un orizzonte limpido, sgombro.

In quell'orizzonte ci stava tutto, la crescita di Serena, il passare degli anni. La sua crescita e il nostro lento declino, saremmo diventati vecchi sotto quel cielo e un giorno come una candela che brucia un po' alla volta, sotto quel cielo quietamente ci saremmo anche spenti. Ogni tanto, per rinforzare la mia certezza – sai, dentro di me qualcosa traballa sempre – facevo persino dei calcoli. Passavo in rassegna tutte le persone che conoscevo e mi dicevo a Tizio è già successo questo e quest'altro, dunque non gli succederà più niente; Caio, invece, ha avuto una vita meravigliosa e dunque forse deve aspettarsi qualcosa. Stavo lì capisci, come un farmacista con il bilancino, pesavo tutto e alla fine traevo le mie conclusioni. La conclusione, poi, era sempre quella: chi ha sofferto prima non soffrirà dopo. Era un gioco infantile, infantile e anche superbo ma serviva a tranquillizzarmi. Volevo essere certa che le nostre esistenze fossero al sicuro.

Il rapporto con la sofferenza è bizzarro, sai. Finché è poca ci si ribella sempre, si pensa che se è accaduta una cosa terribile, non ne possano accadere altre... Perché? Perché non è giusto. C'è dentro, insomma, come un senso di intoccabile equità. Si crede che la vita sia una festa e la sofferenza delle fette di torta. Ne tocca una a ognuno, non di più.

Invece poi, non so se c'entra anche un fatto biologico, si invecchia, si hanno meno forze. Poi da un giorno all'altro succede che non ti aspetti altro, ti aspetti cose brutte e basta. Cominci a pensare in modo diverso, stai lì tutto il tempo disteso sotto il sole come una bestia con la schiena rotta. Anche se vuoi muoverti non puoi, rimani là e aspetti.

Tu hai mai pensato di avere un bambino? Ho sentito che adesso va di moda farli da sole, insomma senza il padre. Sì, forse quando sono piccoli è più semplice; ma poi quando crescono, cosa gli racconti?

Tu non lo faresti in questo modo? Non ti credevo così saggia. Dici che un bambino è un atto d'amore? Certo, l'idea è giusta, ma credimi che chi è stato genitore non lo direbbe mai. Sai cos'è un bambino, invece? È un sacco in cui butti dentro tutto, butti là le cose che non hai e vorresti avere. Getti i tuoi vuoti, le tue paure, le cose che hai e non vorresti. Vedi, con un figlio, come ti muovi, sbagli. A riconoscere gli errori ci si salva? No, non è così. Io li ho riconosciuti fin quasi dall'inizio ma non è servito a niente. Perché nella foga di gettare e gettare ti dimentichi che il sacco esiste già, ha una sua storia.

Conosci quel gioco delle pagliuzze? Si è in tanti, si deve fare una cosa, ma siccome nessuno la vuole fare si decide con le pagliuzze. Ce ne sono di corte e di lunghe, chi ha la più lunga, anche se non vuole, fa la cosa. Così, anche se non vuoi saperlo, anche se ti illudi che sei tu giorno dopo giorno a formarlo, in realtà tuo figlio, tuo figlio e tutti i bambini che vengono al mondo hanno la loro pagliuzza in mano e lì in quel filo, c'è scritto tutto, è un sorteggio che avviene sopra di te, prima di te, nonostante te.

Sì, hai ragione, si può anche scegliere. A trent'anni si può pensare che è possibile scegliere, è giusto che sia così; ma a ottanta no, non ci si crede più. Con il tempo si capisce che non è così, la differenza è tutta tra l'attivo e il passivo, invece di scegliere si è scelti.

Per cosa? Da chi? Non chiedermelo. Ho constatato e constato ancora; la mia vita non va oltre.

Dammi pure la giacca che fa caldo. La primavera è esplosa all'improvviso, nessuno se l'aspettava. Ogni volta che ti vedo venire avanti per il corridoio mi sembri più grande. Non hai più l'età di crescere? Forse sono io che divento più piccola. Da vecchi succede così, la carne si prosciuga intorno alle ossa e anche le ossa diminuiscono di volume, sembra che tutto si prepari in silenzio ad andare via, a sparire... Eppure mi sembri più grande della settimana scorsa. Fai molta ginnastica? Può darsi che sia quello. Ma no, sai che cos'è? È che ti invidio, non per me, io sono quella che sono, ma perché mi sarebbe piaciuto avere una figlia come te. Serena stava sempre con le spalle curve, con la testa incassata, faceva impressione a vederla, sembrava che da un momento all'altro si aspettasse un colpo. Così le ripetevo in continuazione: – Stai dritta, guarda avanti, non vedi che sembri una vecchia?! –. Mi faceva rabbia perché anch'io alla sua età ero così, ero così e lo sono rimasta. Mi sarebbe piaciuto che assomigliasse a Bruno, lui aveva un fisico da atleta, con le spalle larghe; da giovane era molto sportivo, quand'è tornato da lassù ancora si vedeva che era stato forte. Vedi? È la storia del sacco che si ripete. Probabilmente i tuoi genitori avrebbero voluto una figlia completamente differente, non è così?

Avevo detto che era una bambina vivace e allegra? È vero, lo era. Lo è stata dalla nascita fino a quasi due anni. Proprio per questo dopo mi sono sentita tradita, ingannata. Prometteva una cosa, è diventata un'altra.

Quell'immagine felice, di noi due con la bambina, non è durata molto. Appena Serena ha cominciato a parlare e a muoversi per la casa, Bruno è cambiato, gli dava fastidio tutto. Quell'età, due tre anni, è un'età difficile, bisogna stargli sempre dietro, controllare che non si facciano male, che non cadano. Vogliono provare, prendono le cose, le buttano per terra, le rompono. Bisogna avere molta pazienza e poi imparano a fare i capricci. Un'amica psicologa tempo fa mi diceva che lo fanno apposta, è un modo per provare a se stessi e agli altri di essere al mondo. Quella volta però non si sapeva, erano capricci e basta, bisognava reprimerli. Così un giorno a tavola Bruno è esploso – lei aveva già buttato per terra il cucchiaio tre volte, non ne voleva sapere di mangiare – allora lui a un tratto, non me lo aspettavo proprio, si è alzato, ha gridato: – Tu non sai quanto sei fortunata! – ed è uscito di casa sbattendo la porta.

È tornato a casa appena la mattina dopo. Non gli ho chiesto dove era stato, avevo il sospetto che neanche lui lo sapesse. Comunque da quel giorno è iniziata una specie di guerra. Stava sempre lì con gli occhi aperti a vedere se la bambina faceva qualche danno. Mi rimproverava, diceva che non avevo polso. Ogni tanto gridava, spariva per giorni interi. Io cercavo di controllare la bambina, la tenevo quieta, era impossibile riuscirci più di tanto, credo che in qualche modo sentisse l'ostilità perché di giorno in giorno diventava più nervosa. Capisci, il senso della mia vita era lì, in loro, e all'improvviso a nessuno dei due importava più niente di me. Facevano una loro guerra personale e io ero là in mezzo come un palo di legno tra due fuochi. La ragione? Non so, ma credo fosse questa: Bruno, dentro di sé, in un posto che neanche lui conosceva, aveva cominciato a odiare la vita, e Serena era la vita. Sì, una volta ho cercato di parlargli, dopo una crisi più forte. Quand'è tornato a casa ho fatto finta di niente ma poi, quando Serena dormiva, l'ho raggiunto in salotto, mi sono seduta di fronte e gli ho detto: – Bruno, ti devo parlare –. Ho detto solo questo, lui è subito scoppiato a piangere, teneva le mani sul viso e piangeva, aveva il corpo scosso dai singhiozzi, sembrava un bambino.

Un mese dopo per una coincidenza di telefonate ho saputo che molto spesso mancava dallo studio. Allo studio diceva che stava a casa a lavorare, a casa diceva che andava allo studio. Dove andava? Non l'ho mai saputo, avevo la bambina, non potevo seguirlo. Quando stava con noi era sempre più taciturno. Persino il sabato, invece di seguirci al mare se ne andava per i fatti suoi. Ogni tanto per cercare di capire qualcosa sai cosa facevo? Lo guardavo negli occhi. Lo potevo guardare tranquillamente per ore perché lui non si accorgeva di niente, il suo sguardo era vuoto, andava oltre. Un giorno poi ho ricevuto una lettera, una lettera sai, come quelle che si vedono nei film, tutta scritta con ritagli di giornale. Quella lettera diceva che lui aveva un'amante, forse addirittura un'altra famiglia, per questo non stava mai a casa con noi. Ci ho creduto? Neanche per un istante, l'ho aperta, letta, appallottolata e poi le ho dato fuoco. Capisci? Non volevo che lui la trovasse, che soffrisse anche per questo, per la cattiveria della gente. Perché vedi, le sue notti erano cambiate, erano tornate a essere quelle dei primi tempi, gridava con gli occhi chiusi, si strappava il pigiama di dosso. Così non ero certa, no – non si è mai certi di niente – ma diciamo che avevo il sospetto che la causa di tutte le stranezze fosse proprio quella: i tre anni erano tornati, giorno dopo giorno lo smangiavano dentro. Hai presente i fiumi che portano la sabbia e i detriti? I detriti e la sabbia piano piano, centimetro dopo centimetro, fanno sparire il mare, se lo divorano. Ecco, nella sua testa stava succedendo qualcosa di simile.

Una sola volta, in quegli anni, l'ho incontrato per la strada. È stato per caso, era una bella giornata, avevo portato Serena al porto a vedere le navi. Lui non ci ha visto, no. Neanche Serena credo che si sia accorta che suo padre era poco lontano. L'ho riconosciuto soltanto io per un suo modo strano di tenere le mani in tasca. Cosa faceva? Niente, stava seduto in cima al molo in mezzo a due pescatori, non sembrava che li conoscesse. Loro pescavano e lui li guardava pescare. Quando uno ha tirato su un pesce non ha alzato lo sguardo dall'acqua, lo teneva laggiù fisso.

Vederlo lì, sai, anche se non faceva niente di male, mi aveva scosso, qualcosa aveva cominciato a muoversi dentro. Cosa? Una nuvola, il primo nuvolone su quell'orizzonte che mi ero sforzata di vedere sereno. Poi, non so se ti è mai capitato, ma ci sono delle volte che non sai ancora niente e in realtà sai tutto. Sono i poteri paranormali?

No, mi è difficile crederci. Penso piuttosto che in qualche parte che non conosci hai già accumulato degli indizi, dei segnali, una specie di puzzle. Quando la cosa accade, soltanto quando accade, ti rendi conto che mancava proprio quella, che era l'ultima tessera.

Così, quel pomeriggio in cui è suonato il telefono – era autunno, pioveva, me lo ricordo, avevo appena dato la merenda a Serena – ancora prima di rispondere sapevo già cos'era, non mi sono meravigliata per niente quand'ho sentito la polizia. Prima che loro parlassero ho chiesto: – Dov'è Bruno?

Solo sul posto mi ero sbagliata. Per questo, vedi, non è vera la cosa che dici tu, la preveggenza. Pensavo che si fosse lasciato cadere in acqua, che fosse morto annegato. Invece no, il suo corpo era lassù sull'altopiano diviso in tre parti esatte da un treno.

No, quel luogo non l'ho mai visto. Anche negli anni seguenti ho sempre cercato di non passarvi vicino. Dov'è? Mi pare sia nei pressi di quel grande deposito di bestiame, dove raccolgono le mucche che con i vagoni arrivano da est. Lo conosci? È terribile di notte? Le bestie urlano?

Dici che anche le mucche sentono qualcosa? No, non è possibile, gli animali non sanno niente, non possono sapere che il giorno dopo saranno morti. Comunque Bruno, me l'ha detto poi la polizia, si era costruito da quelle parti una specie di ricovero, credo che andasse lì quando spariva per giorni. Dentro hanno trovato le sue scarpe, una cartella con dei ritagli di giornale. No, non me ne sono occupata oltre, avevo Serena, dovevo pensare a lei, ero una mamma, capisci? C'erano tanti problemi pratici da risolvere e poi la bambina, anche se le avevo detto che il papà era partito, doveva aver intuito qualcosa. Era strana, ogni volta che la guardavo con attenzione – quando dormiva o quando faceva i compiti – mi rendevo conto che assomigliava sempre più a Bruno. Era come se una parte del suo spirito si fosse sistemata dentro di lei, ma non era la sua parte integra, quella forte, no. Era piuttosto la parte debole e smarrita degli ultimi tempi. A scuola andava bene, era chiaro che si trattava di una bambina intelligente. Forse a guastarla era proprio quello, l'intelligenza. L'intelligenza è un dono dicono, io non ci credo. Sarebbe meglio, molto meglio vivere senza. A scuola andava bene ma poi non aveva un amico, stava sempre sola, non le interessava niente. Io la spingevo a uscire, a leggere dei libri, sai come fanno le madri, no? Avevo paura che si chiudesse troppo. Non bisogna dimenticare che alle sue spalle, dietro di lei, dentro di lei c'era mia madre. Non ero sicura ma ci poteva essere...

Vedi, ad esempio, di questa cosa, del pericolo ereditario, Bruno e io ce ne eravamo completamente scordati. L'avevamo, come si dice adesso, rimosso? Sì, l'avevamo rimosso. È la natura, te l'ho già spiegato. Per guadagnare un colpo fa mosse basse, scavalca tutto.

Così, quando sono rimasta sola con Serena, me lo sono ricordata. È diventata una specie di idea fissa, forse la seguivo troppo, guardavo ogni suo gesto. Mi chiedevo: è normale, non è normale? Piangeva sempre. Ha cominciato a piangere molto prima dell'età in cui si piange, l'adolescenza. Scoppiava in singhiozzi all'improvviso e non c'era mai un motivo. Le chiedevo perché piangi? e lei piangeva sempre più forte, gridava: – Non lo so! – e mi si buttava addosso. A quei tempi non c'erano tutte queste storie della psicologia, della psicanalisi. Dallo psichiatra ci andavano i matti, per il resto si andava avanti con il buon senso, il buon senso e basta. Così io la consolavo, la prendevo tra le braccia, ma qualche volta mi stufavo anche, la lasciavo lì da sola a piangere per ore. Certo, non gliel'ho mai mostrato ma avevo paura, sentivo che ancora una volta le cose mi sfuggivano di mano. Serena era l'unica cosa che avevo in mano.

Sai, nei pomeriggi in cui sto sola in poltrona, tante volte accendo la televisione, guardo di qua, di là: non mi piace mai niente. Comunque ogni volta che trovo un programma scientifico, uno di quelli che ti spiega come vanno le cose dentro, la spengo. Magari è interessante ma non voglio sapere niente. Quella storia dei cromosomi, dei geni non la sopporto. No, non sopporto di vedere tutto là con i disegni colorati, gli ingrandimenti al microscopio: questo topo è così perché la sua mamma è colà e via dicendo... non si può sopportare, è tremendo.

Aveva quindici anni quando ha cercato di togliersi la vita, l'ho trovata sul divano, era là sdraiata, respirava ancora.

Mentre era all'ospedale ho capito che non si sfugge mai: scappare è un'illusione. Gli anni che Bruno aveva passato in Germani erano tutti là dentro, impressi, schiacciati nei suoi geni. Gli scienziati diranno di no, che non è vero ma io ti dico di sì, che c'è una memoria. Era come se lei fosse stata lassù, soffriva come aveva sofferto suo padre; forse soffriva anche di più, perché soffriva e non sapeva perché soffriva. Era una cosa che la dilaniava dappertutto, non aveva pelle, non era protetta, anche il vento la faceva sussultare. La colpa era mia che l'avevo messa al mondo.

In Israele stanno studiando l'effetto dei campi di sterminio sulle generazioni più giovani? Allora vedi che ho ragione, è vero: l'orrore si diluisce nelle fibre, si trasmette ai figli, i figli lo trasmettono ai nipoti... va avanti di generazione in generazione, va avanti sempre un po' più debole certo, alla fine anche si estingue. Si estingue nel momento esatto in cui un altro orrore è pronto, è fresco e vivo sta lì e attende e... ho perso il filo... Lo senti anche tu questo ronzio? Cosa può essere? Il frigorifero?

Di cosa stavamo parlando? Mi pare... sì ecco, è proprio questo. Io alla storia dell'uomo buono non ci credo, se ci fossero da qualche parte bisognerebbe pur vederli. Io non li vedo. Neanch'io sono buona, non sono così bugiarda da ingannarmi, non sono buona per niente, non c'è nessun buono perché tutto questo male, questa cosa che ci avvolge che entra dentro e ci fa fare cose che una bestia non farebbe mai... le bestie mangiano soltanto chi è destinato a essere mangiato, non divorano indiscriminatamente così per puro gusto... Il gusto da dove viene? Dagli uomini, dal loro cuore: chi l'ha messo dentro? L'ha messo dentro qualcuno?

Siamo andate in montagna, dormivamo nella stessa stanza, nello stesso letto. Era la prima volta che capitava da quando era piccola. Una notte mi sono svegliata con delle grida – dov'ero non lo sapevo, per un istante ho pensato che fosse Bruno – poi ho acceso la luce mi sono accorta che era lei, la mia bambina. Urlava, aveva gli occhi chiusi, le braccia e le gambe erano fruste. Allora mi sono seduta sulla sponda del letto. Stavo lì ferma, ancora una volta non sapevo cosa fare. Come corre il tempo di notte, si espande, si dilata. Improvvisamente mi è venuto in mente quel patto, il patto che tanti anni prima avevo fatto con Dio. Ecco, pensavo, gli avevo proposto un baratto, avevo chiesto la quiete in cambio di una cosa che non ho mai dato... Adesso aveva ragione lui, era furioso e mi puniva. La mia vita poteva essere diversa, è colpa mia se a un certo punto ha preso quella piega. Si è piegata, arrotolata, corsa avanti raccolta e srotolata tutta lì, nella sofferenza.

Potevo sottrarmi al gioco, no? Avrei potuto uccidermi, dire scacco matto, era l'unica libertà che mi era rimasta ma non l'ho fatto. Mentirei se dicessi che ho pensato a Serena o qualcosa del genere. Lei stava là già da tempo con la sua pagliuzza stretta nel pugno... Io l'avevo vista quella pagliuzza, sapevo di non potere fare niente. Non era per lei né per nessun altro che non sono morta, era perché sono vigliacca e basta.

Ho scostato le tende, il giorno doveva entrare

dentro. Tanti pini là fuori e sopra un uccello sospeso in aria, stava quasi fermo, forse era un falco, Serena ha acceso la radio, c'era una canzone ricordo una strofa, la strofa diceva: «Questa gran confusione della vita...».

Durante la settimana sto qui in poltrona e aspetto che tu arrivi. Penso che non le dirò più niente, parlerò del tempo, di quel poco che so del governo. Vorrei cucirmi la bocca, dentro di me è cucita sono sicura però quanto ti vedo non so cosa succede, si apre, va avanti da sola... Quella canzone, capisci? C'è un punto in cui tutto diventa ridicolo.

È morta la nipote della mia migliore amica. Camminava appena, aveva appena imparato a parlare. All'improvviso ha cominciato a non vedere bene, dentro di lei era nata una nuova forma di vita – cancro di qua, cancro di là, natura vigorosa prepotente, le ha divorato il cervello e tutto il resto. Ai funerali le ero vicina, ma mi veniva da ridere.

L'innocenza che soffre, che muore cos'è? Vorrei chiederlo a tutti quelli che si mettono in ginocchio, che mi rispondessero loro per favore.

Sarà capitato anche a te, no? Davanti alle cose tristi invece di piangere ci si mette a ridere, si ride si ride e non ci si può più fermare. Non è giusto ma si ride lo stesso, il male fa ridere. Poco male fa piangere, tanto fa ridere. Si ride come nelle comiche quando non si rompe una sola cosa ma tutto. Crolla tutto, crolla anche il protagonista e ci si diverte. Così la mia vita, racconto una cosa dietro l'altra, per un po' ci si crede però a un dato momento accade qualcosa, si pensa è tutto troppo e viene da ridere. La ragione per cui non ho mai parlato con nessuno – mai per intero dico – è questa, la risata inevitabile. Tu ancora non ridi, non sembra che ridi ma che ne so di che ti succede dentro? Forse sei soltanto educata.

Io ho questo vizio, il vizio di guardare le vite degli altri. Le guardo e dico, sono come la frutta del mercato – questa frutta di adesso, sai, tutta tonda uguale tutta con lo stesso colore – alla televisione hanno detto che la fanno con gli ormoni, sono quelli alla fine che provocano il cancro, che lo invogliano almeno, ma intanto cosa importa quella frutta è lì perfetta. Anche i fiori mi hanno detto che li clonano, non so cosa vuol dire questa parola, mi fa pensare a una parola indecente. Le rose clonate comunque sono tutte rose al massimo, non potrebbero essere più rose di così, solo che gli manca una cosa, non hanno alcun profumo.

Mio padre ogni tanto da laggiù mi scriveva, lavorava alle stalle, i metodi erano già modernissimi, da nessuna parte nascevano tanti vitelli, vitelli come frutta, com'è un vitello sui libri di scuola dei bambini, identici uno all'altro, impeccabili. Ma poi tra cento ne nasceva uno con due teste, con tre gambe. Capisci avviene una rivolta, avviene di rado ma avviene. Due pere si formano attaccate insieme, hanno tutto il gambo la polpa, i semi, ma sono due – un errore di natura – vanno nei musei, sui libri, nella spazzatura. Allora guardo le vite degli altri e constato che sono per lo più tranquille, accadono cose piccole piccole. Le persone vivono tranquille e muoiono che sono ancora tranquille. Basta che osservi intorno, lo vedi da te, vedi la normalità che fluisce che corre ma poi ogni tanto qualcosa si inceppa. A che punto si inceppa non lo so, comunque ci sono vite diverse. Tutto il male va lì, come la polvere di ferro sulla calamita, lì s'incunea, si concentra, si incista. Si nasce inquieti e si muore più inquieti di quando si è nati. Non è colpa della tecnica, di quello che l'uomo fa sopra l'uomo; la cosa sta prima, più in alto, più in basso, allora di chi è la colpa? Si è scelti? Si sceglie? Un prete un giorno mi ha detto: – Una vita come la sua è un dono –. Ma io dico dono di che cosa? si va avanti, si resiste, ci si fa forza, per cosa?

Gli scienziati non l'hanno mai fatto, non l'hanno fatto ma dovrebbero farlo. Dovrebbero capire perché il male si posa in pochi luoghi, solo in quelli, sempre in quelli. Sotto io penso che ci sia qualcosa di simile a una legge chimica, i composti si attirano, si respingono. Per questo ti dico dovrebbero indagarlo, scoprirlo, trovare una sorta di antidoto.

Non riesco più a dormire, prendo le pillole ma resto sveglia, entra caldo dalla finestra e polvere, il geranio sta sempre lì, non vive e non muore. Ho sentito dire che ci sono dei sommozzatori che si immergono nelle fogne, li pagano due milioni all'ora, a me nessuno ha mai dato niente, mi giro e mi rigiro tutta la notte, anch'io sono un subacqueo, le coperte sono una grotta sotto l'acqua. È buio, vado avanti e indietro, mi volto, vorrei uscire, non capisco da che parte si trova la superficie, se c'è il cielo dov'è?

Le nove già? Devi andare? Abbracciami prima.

Guarda qui queste lettere continuano ad arrivare, è incredibile, no? Sono passati più di quindici anni eppure continuano a mandarmele. Sempre lo stesso modulo prestampato con sopra scritto: «Sono qui da noi in giacenza i seguenti oggetti...» e via tutte le cose che ha lasciato laggiù mia figlia. Una volta, tanto tempo fa ho anche risposto, ho scritto grazie tante teneteveli pure ma non so, non deve mai essere giunta a destinazione oppure non hanno capito la mia calligrafia, con gli anni anche la scrittura cambia, diventa da gallina. Fa caldo oggi, eh? Presto sarà il tempo delle vacanze, dove vai di bello? No, io resto qui, dove vuoi che vada? Chiudo gli scuri, ho un piccolo ventilatore, lo metto lì sul tavolo dove adesso c'è la teiera, guardo la televisione o meglio la tengo accesa. Leggere no, non mi interessa. Si legge quando si è curiosi e io non lo sono più, da quando è morta Serena non ho mai finito un libro. Lei sì, li divorava, hai visto le stanze di là? I libri che coprono le pareti sono i suoi, ha cominciato ad accumularli già da ragazza. A un certo punto le era venuta quell'idea in testa, di fare lo scrittore. Era appassionata di gialli. Dai giornali ritagliava tutti gli articoli di cronaca nera, li divideva in cartelle – gli stupri in quella gialla, gli omicidi in quella rossa – faceva ordine in continuazione, febbrilmente. L'assassino lei ce l'aveva dentro, respirava attraverso i suoi stessi polmoni, vedeva dai suoi occhi lei lo cercava dappertutto, scriveva storie sempre più complesse, alle volte erano così complesse che non si capiva neanche chi fosse il morto, almeno, non lo capivo io, lei diceva che era semplicissimo. A me quella storia non piaceva fin dall'inizio, non la storia che aveva scritto ma il fatto che si occupasse di quelle cose, che stesse tra i cadaveri come tra i fiori. Dopo qualche anno ha cominciato a pubblicare, ad avere conferme, allora mi sono detta forse è vero, il suo talento è questo, si tratta di un mestiere come un altro, poteva essere medico o avvocato, scrive gialli, va ugualmente bene. Però non ero mai tranquilla, se l'avessi vista tranquilla mi sarei tranquillizzata anch'io ma lei era sempre inquieta. Avere successo, scrivere quelle cose orrende non la calmava per niente. Non era uno sfogo, capisci? qualcosa che scorrendo si placa, no: era un incitamento, spesso scambiava la sua vita con i suoi libri, per la strada si sentiva inseguita, aveva paura di aprire gli armadi. Negli ultimi anni diceva la cosa più grande l'ho dentro, sta lì in fondo il giallo perfetto, ce l'aveva ma non riusciva a esprimerlo, partiva per un viaggio partiva per un altro, stava sempre peggio. Non le davo consigli, no, stavo zitta, cosa vuoi che dicessi? Sposati, fai un figlio? Quando mi ha comunicato che partiva per l'America – andava a New York per inseguire l'ispirazione perché laggiù c'erano un mucchio di crimini – le ho detto, fai bene, hai ragione.

Dopo un mese un uomo delle pulizie l'ha trovata in un ascensore. Non si è mai saputo chi l'ha strangolata.

I giornali hanno scritto è morta come in un suo libro. La polizia ha fatto qualche indagine. Perché era in quell'ascensore? Che cosa aveva fatto quella sera? Il caso non l'hanno mai chiuso. A me non me ne importa niente, sai cos'ho provato quando è arrivata la notizia? È orrendo, mi vergogno a dirlo, sono stata contenta, contenta per lei intendo, non per me. Sono un mostro? Si diventa così. La vita è questa, si pianta, si guarda la pianta crescere, si attende che venga sradicata. Da quando sono sola mi chiedo chissà se è vera quella storia degli indiani, le anime si muovono, vanno da una parte all'altra, pagano qui quello che hanno fatto di là, se hanno già pagato sono felici... se così fosse cosa credi che avrei potuto fare nell'altra vita? Ci penso tante volte e mi fa paura rispondere. Penso che sono stata un caimano, una tigre affamata, nell'altra vita ho sparso sangue a piene mani, l'ho sparso quella volta e adesso intorno a me è stato sparso. Qual è la lezione che dovevo imparare? C'è un tempo per uccidere e un tempo per guarire, c'è un tempo per demolire e un tempo per edificare. Io ho ucciso tutto, demolito tutto, cos'ho edificato? Pochi pensieri che se ne vanno in giro, i pensieri oltraggiosi dello stolto. Perché ancora vado, mi muovo, mi volto e mi rivolto e non capisco niente? Se una lezione c'era, quale era? Grido di qua e di là e nessuno mi ascolta, così mi domando come si fa ad abbandonarsi, ad avere fiducia? Fiducia in cosa? Tante volte ho un rammarico sai, ho il rammarico di non essere stata grande almeno in qualcosa. Non ho mai fatto del male a nessuno, non ho mai avuto quella volontà eppure il male mi è piovuto addosso come una pioggia abbondante. Allora mi chiedo, se il male l'avessi fatto io per prima, in prima persona non sarei stata forse più felice? Dopo? E chi può dire qualcosa del dopo? Non vedo non credo, non me ne importa niente delle bilance, i conti: è qui che si gioca, che si sa, non in un altro posto. Quando Serena è morta per un po' avevo questo pensiero, pensavo che era l'ultima prova, qualcosa sarebbe sceso dal cielo, a quel punto doveva scendere un respiro più ampio; invece non è sceso niente, sono rimasta qui in poltrona con i miei pensieri piccoli piccoli, topi nella tana che raspano. Ma forse è anche questo, è la piccolezza che mi ha distrutto. Non ho mai osato niente. Il mio sguardo? Quello degli agnelli prima di Pasqua, stavo lì con gli occhi chiusi con quella scure sopra, anche senza vederla sentivo sempre sul collo il gelo della lama, quel vento freddo e sospeso. Se avevo dei talenti non li ho adoperati, sono andata avanti di inerzia, c'era un'onda che mi spingeva e io vi stavo in mezzo come una vecchia scarpa, un barattolo, tutti i giorni, per tutta la mia vita sono andata avanti e indietro tra la schiuma senza mai giungere da nessuna parte. Non ho fatto male, non ho fatto bene, non ho fatto niente.

Oggi, prima che tu venissi, ho aperto una vecchia rivista. C'era una lunga intervista con un vecchio filosofo – intervistano sempre i filosofi quando stanno per morire. Parlava della vecchiaia. Diceva che la natura è benevola, previdente perché a un certo punto smarrisce ogni cosa, non si provano più emozioni forti, i sensi si allontanano, si sente meno, si vede meno. Tutto diventa un'ovattata attesa, si naviga in un mare quieto, si vede la costa allontanarsi, sbiadisce di ora in ora... scompare ed è la fine.

Quando ho finito di leggere sai cosa volevo fare? Volevo scrivergli una lettera, poi ho guardato la data della rivista e non l'ho scritta, era di tanti anni fa, lui sicuramente morto. Comunque, se gli avessi scritto, avrei scritto che si sbagliava di grosso. Non è vero che tutto si allontana o meglio, è vero in parte, si sente meno, si vede meno, ci si muove meno ma questo invece di aiutare rende tutto più difficile. Sfumano i contorni, si smarriscono le distrazioni e allora con tutta la sua drammaticità emerge un nucleo di fuoco, sta lì e arde, lambisce le strutture, ti devasta. È una bugia che i vecchi non hanno passioni, i vecchi hanno passioni terribili, è il rimorso che le alimenta, le muove, le fa più forti. Non bisogna avere rimpianti, questo si dovrebbe sapere dall'inizio, dovrebbero cantartelo fin dalla culla come una nenia, ma nessuno la canta e allora come si fa a saperlo? Quando si sa, è troppo tardi. Lo vedi? Si torna sempre al punto di partenza, non c'è scampo.

Allora hai le gambe molli, lo sguardo opaco, i suoni che senti sono solo i rumori più bassi e all'improvviso ti nasce dentro questo desiderio, un desiderio che è una beffa. Vuoi muoverti, partire, fare lunghi viaggi. Vuoi vedere posti nuovi, rivedere quelli che hai già visto. Così ti succede quando ti accingi a lasciare il mondo.

Di viaggi ne ho fatti pochissimi, Venezia, Firenze, le solite cose. Solo una volta ho fatto un viaggio più lungo – Serena aveva dodici anni – sono andata in Israele a trovare mio padre. Lui ormai era vecchio, volevo che conoscesse l'unico nonno ancora in vita.

In quel periodo lei era insopportabile, aveva un'idea fissa in mente e me la ripeteva in continuazione. Qualcuno, a scuola suppongo, le aveva detto che Hitler non era morto, c'era un corpo laggiù nel bunker ma nessuno con sicurezza poteva dire che fosse il suo. Il talento dei gialli ce l'aveva già dentro, così passava tutto il suo tempo a fare ipotesi, quelle che riteneva vere erano sempre le più terribili. Poco prima della fine lui là sotto aveva ucciso un uomo che era quasi il suo sosia. L'aveva forse addirittura costruito in laboratorio quell'uomo, l'aveva clonato così come si clonano le rose, l'aveva ucciso e poi da lì, senza mai emergere in superficie era fuggito. Per scappare aveva usato dei cunicoli, quei cunicoli erano pronti fin da quando aveva preso il potere. Li avevano costruiti i migliori ingegneri del regime, correvano come vene sotto ogni parte del mondo, sbucavano in Australia e Indocina, in Groenlandia e in Cile. C'erano porticine segrete dappertutto da cui lui poteva uscire.

Naturalmente là dentro c'era cibo, acqua, tutto il necessario che serviva per sopravvivere. C'erano rifornimenti per migliaia di persone perché lui non era affatto solo, aveva con sé quella macchina per replicare. Aveva incrociato se stesso con i segugi da caccia, i migliori segugi da caccia. Là sotto ormai erano in decine e decine di migliaia, non c'era quasi più posto nei cunicoli, correvano tutti avanti e indietro senza mai stancarsi, annusavano l'aria con avidità, divoravano ogni effluvio con il naso; aspirando facevano un rumore tremendo. Quando l'odore era quello giusto arrotavano i denti, erano lupi dalle fauci aperte, pronti al balzo. Da vent'anni vivevano là sotto, là sotto si moltiplicavano, si muovevano in branchi. Aspettavano solo un fischio, un segnale: qualcosa che dicesse loro che era tornato il tempo di cancellare l'impuro dal mondo.

Capisci? Serena viveva con quella fantasia dentro. Per lei non era fantasia ma una certezza.

Passava il suo tempo a lavarsi, si sfregava il corpo con tale forza che si era quasi tolta la pelle. Non camminava mai sui tombini, sulle prese d'aria. La sera metteva una lastra di marmo sulla tazza del gabinetto. Portarla laggiù mi era sembrata una buona idea, l'idea migliore. Avrebbe potuto conoscere il nonno e sapere che c'era un posto dove essere sicura. Le avevo detto che se anche i lupi escono dappertutto lì non potranno uscire, c'è un esercito grandissimo pronto a combattere solo per questo. Le avevo anche detto che se le piaceva, se si sentiva più tranquilla avremmo potuto stabilirci laggiù. Non c'era niente che ci legava alla città dove abitavamo, sarebbe stato semplice farlo.

In effetti lì si era un po' calmata. Le piaceva quel nonno così lontano dal mondo, lui pensava solo alle mucche, a suonare il violino, facevano lunghe passeggiate insieme, su e giù per gli agrumeti. La storia per lui ormai era solo un ricordo sbiadito, guardava le piante crescere, seguiva lo sviluppo dei vitelli. La sua vita era tutta lì, nella natura. Era un uomo felice ed era riuscito per un po' a contagiarla con la sua felicità. Trascorremmo un mese insieme immersi nella pace del kibbutz.

Una settimana prima del rientro decisi di andare a fare un breve viaggio nei dintorni. Volevo se ne stessero per un po' soli, la mia assenza avrebbe forse aiutato Serena a prendere una decisione. Portando con me solo una borsa leggera raggiunsi la Giordania. A Gerusalemme presi alloggio in una pensione vicino alla porta di Jaffa e per tre giorni me ne andai avanti e indietro per la città vecchia senza nessuna meta. Dal tempo del mio soggiorno in convento era la prima volta che mi trovavo a essere libera da qualsiasi legame, sola con me stessa. Ogni tanto, in mezzo ai vicoli, frastornata dalle grida dei *muezzin* e dal suono delle campane, venivo colta da un senso di irrealtà. Era talmente pieno di Dio là che quasi non potevo respirare. Allora mi sedevo su un muretto, posavo le mani sulle gambe, le stringevo forte. Il penultimo giorno presi una corriera per andare giù, verso il Mar Morto.

È questo che non ti aspetti quando esci da Gerusalemme, non ti aspetti che dopo gli ulivi ci sia il deserto, quel deserto terribile tutto di rocce e sbalzi. Appena la corriera ha cominciato a scendere mi sono sentita inquieta. Avevo paura di trovarmi sola con quel caldo pesante in un luogo dove non c'era niente. Cosa avrei fatto tutto il giorno? Volevo scendere, tornare indietro ma ormai non era più possibile.

Sono smontata nei pressi della valle del Cantico dei Cantici. Anche tu sei stata lì, mi pare. In lontananza si intravedeva come un enorme bastione la rocca di Masada. Davanti c'erano quelle acque immobili, come di vetro. Per un po' ho camminato lungo le sponde, ho tolto le scarpe, le calze, ho immerso i piedi dentro. Avrei potuto entrare tutta ma temevo che quelle acque morte mi risucchiassero, che mi bruciassero il cuore e gli occhi.

Camminando e camminando mi sono scordata del tempo. Laggiù, lo sai, il buio scende presto, cala giù rapido come una saracinesca. Solo quando all'improvviso i contorni delle cose hanno cominciato a confondersi mi sono accorta che era tardi, che dovevo tornare sulla strada e aspettare l'autobus. Ho raggiunto il cartello della fermata e ho iniziato ad aspettare. Ho aspettato e aspettato ancora. Il sole ormai era scomparso e della corriera non c'era traccia. Presa dai miei pensieri mi ero scordata di controllare l'orario. Non c'erano più autobus e neppure passavano macchine. In breve le poche luci accese si spensero, in giro non c'era nessuno. A un tratto tutto divenne immobile e doppio come il sabato. Era sabato davvero.

Hai caldo? Vuoi che accenda il ventilatore? No? Allora apri la finestra per favore, fai entrare un po' di aria, si soffoca qua dentro. Spostati però, se no ti viene il torcicollo.

Cosa stavo dicendo? Il deserto? Sì, ero lì, da sola senza niente in tasca. Anche se avessi avuto i soldi non c'era nessun albergo. Mi sono incamminata verso l'interno, avevo paura a dormire lungo la strada, sai i malintenzionati ci sono in tutti i paesi del mondo. Era notte ma si vedeva benissimo c'era la luna piena in cielo, il suo biancore si espandeva dappertutto, sulla sabbia sulle rocce sui rami ischeletriti delle acacie. Guidata da quella luce ho imboccato una piccola valle, c'era un fiume che scorreva sotto e intorno una vegetazione come quella dei tropici. Avrei dovuto essere terrorizzata – non avevo mai dormito all'addiaccio, in un posto che non conoscevo – avrei dovuto aver paura invece ero serena, cantavo persino. Cantavo la canzoncina delle api di mia madre, mi piaceva che nessuno sapesse dov'ero, mi dava una strana euforia. Ho pensato, potrei morire e sono stata felice... sarebbe stata una morte gioiosa. Quando ho trovato un posto riparato mi sono distesa. La sabbia era ancora calda del giorno, era un lenzuolo tiepido, c'erano le stelle ...

Ero là in mezzo, un gorgo tra i mulinelli. Mi sono coricata con il volto in su, verso l'alto. Prima di addormentarmi ho guardato il firmamento a lungo – anche questo non l'avevo mai fatto – l'ho guardato e mi sono pentita di non sapere i nomi delle stelle. Per me, come per la maggior parte degli esseri umani sono tutte uguali, accessori. Sì, all'improvviso avrei voluto chiamarle come per un appello: Sirio, Orione, Centauro... Mi era venuta una strana idea, pensavo che mia madre e Bruno erano seduti lassù, a cavalcioni di una stella. Se avessi conosciuto i nomi avrei potuto chiamarli, parlare a lungo con loro come in vita non avevo mai fatto... Insomma, capisci, era tornato il sabato, vedevo tutto di nuovo con occhi doppi, c'erano le cose come apparivano e com'erano realmente, tutte lì fuse in un unico sguardo. Si sentivano degli sciacalli intorno, i piccoli fruscii della notte – è a quell'ora che vive il deserto – c'erano quei rumori sconosciuti ma ancora non avevo paura. Prima di addormentarmi ho pensato a Giona, a lui, il ribelle. Il Leviatano che l'aveva inghiottito aveva inghiottito anche me. Stavo lì dalla nascita, immersa, sospesa tra il tritume del plancton. Mentre lui se ne andava tra gli abissi io gli fluttuavo dentro, un girino agitato e cieco... Stavo lì imprecando, dimenandomi... Ero così presa da quello che non mi ero accorta che il mostro ogni tanto apriva la bocca, andava alla superficie e la spalancava per mangiare i pesci. Mangiava i pesci e anche l'aria. Allora la luce a sciabolate entrava dentro, illuminava la gola, la trachea, l'esofago. Avrebbe illuminato anche me se avessi fatto più attenzione, se l'avessi vista.

Ho pensato quella cosa e mi sono addormentata.

All'alba la luce è salita radente, veniva su piano piano accarezzando ogni cosa – ho aperto gli occhi e mi sono detta, la luce non colpisce, accarezza – la luce accarezzava e il vento cresceva. È un vento che dura pochissimo, quando il sole è alto è già scomparso. Io stavo lì in mezzo distesa a terra tra quella luce e quel vento, non ero più un gorgo tra i mulinelli, ma vento tra il vento, fiato, respiro. Non ero più niente. Non avevo più nessuna voglia di alzarmi, di andarmene. Sono rimasta lì mentre le cose da profili diventavano forme... E proprio mentre stavo lì immobile ho sentito quella cosa, io ero ferma ma il suolo sotto di me si muoveva, andava avanti e indietro in modo regolare e dolce. Il primo istante ho pensato che si trattasse di un terremoto, ma è un'idea che non è durata lungo: se fosse stato quello si sarebbero mossi anche gli alberi, il movimento sarebbe aumentato sempre più fino a scuotere tutto. Allora ho ascoltato ancora, ho disteso l'intero corpo per sentire meglio e dopo un po' ho capito. L'ho capito solo in quell'istante e poi mai più. Non so se dirtelo, ho paura che quando esci di qua ridi, che te ne vai dicendo povera vecchia, ma non è questo no, cerca di capirmi. Era sabato.

La terra ha un fiato. Con noi sopra respira il suo respiro quieto.

INDICE

Di nuovo lunedì   9
Love   21
Un'infanzia   51
Sotta la neve   115
Per voce sola   141

tascabili Marsilio

1 SUSANNA TAMARO, La testa fra le nuvole

2 SUSANNA TAMARO, Per voce sola

3 FRANÇOIS TRUFFAUT, L'uomo che amava le donne

4 ELÉMIRE ZOLLA, Archetipi

5 ISAAK BABEL', L'armata a cavallo. Diario 1920

6 VĀTSYĀYANA, Kāmasūtra

7 DANTE ARFELLI, I superflui

8 PROSPER MÉRIMÉE, Doppio inganno

9 SERGIO MALDINI, La casa a Nord-Est

10 EDITH BRUCK, Chi ti ama così?